Gaku
Gaku
Gaku
Gaku

Gaku
Gaku
Gaku
Gaku

Gaku
Gaku
Gaku
Gaku
Gaku
Gaku

高津のアトリエでGAKUとココさんと3人で

重度の自閉症・知的障害を持つGAKUにとって絵は彼の言葉となる

自閉症である特性が絵の技術に転換される

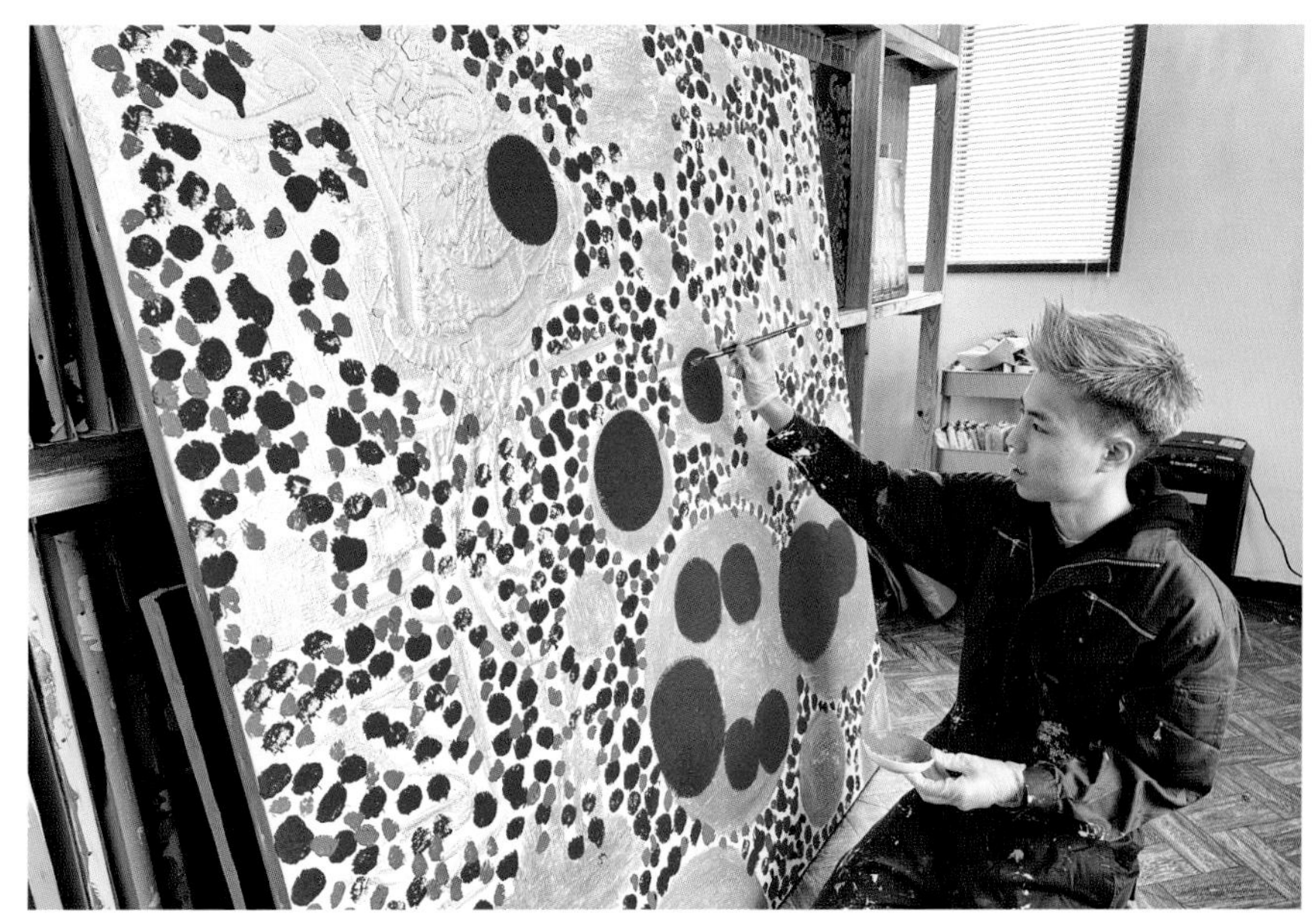

大型のキャンバスほどGAKUの持ち味が大胆に出る

ココちゃんが教えます！

積み木を重ねたり並べはじめる
自閉症サイン！（2歳）

ロスの学校で初めての
IEPミーティング（4歳）

支援学級担当のMr.Rと
セラピストのカーナ（6歳）

9年間過ごしたウエストウッドの家の前で（14歳）

川崎市宮前平でアイムの
福祉活動が始まる（15歳）

アインシュタイン放課後の
仲間たちと（18歳）

「太陽」（16歳）
岡本太郎美術館を訪れて、翌日から突然描き始めたときの最初の絵

「アカクマ」（18歳）
GAKU自身の自画像と思われる特別な作品。動物のシルエットを描いたのはこのときが初めて。
しかもGAKUが自分のサインを顔のところに配置した初めての作品となった。

クラウドファンディングでニューヨークでの個展を実現（19歳）

LeSportsacのNY代表のトーマス・ベッカーさんと（19歳）

GAKUの描く動物はみんな大きなスマイルで、尻尾を上に振っている。
動物の絵に時々数字が登場するが、本人しか意味を知らない。

初めての展示会で絵が売れる。その額、150万円（18歳）

世田谷での個展。160平米の広さで100枚ほどの原画を展示（20歳）

LeSportsacでグローバル展開されたコラボ・バッグ（2022年）

川崎ブレイブサンダースとのコラボ展示の取材（2022年）

GAKUが描く「円」は、実は「球体」。遠くの小さな光が前面に向かって浮かび上がっている。
また、パリ・オリンピックの映像や、表参道のハイブランド・ショップに行った翌日に描かれた作品も。
自分が吸収したものを、絵としてアウトプットしているのがわかる。

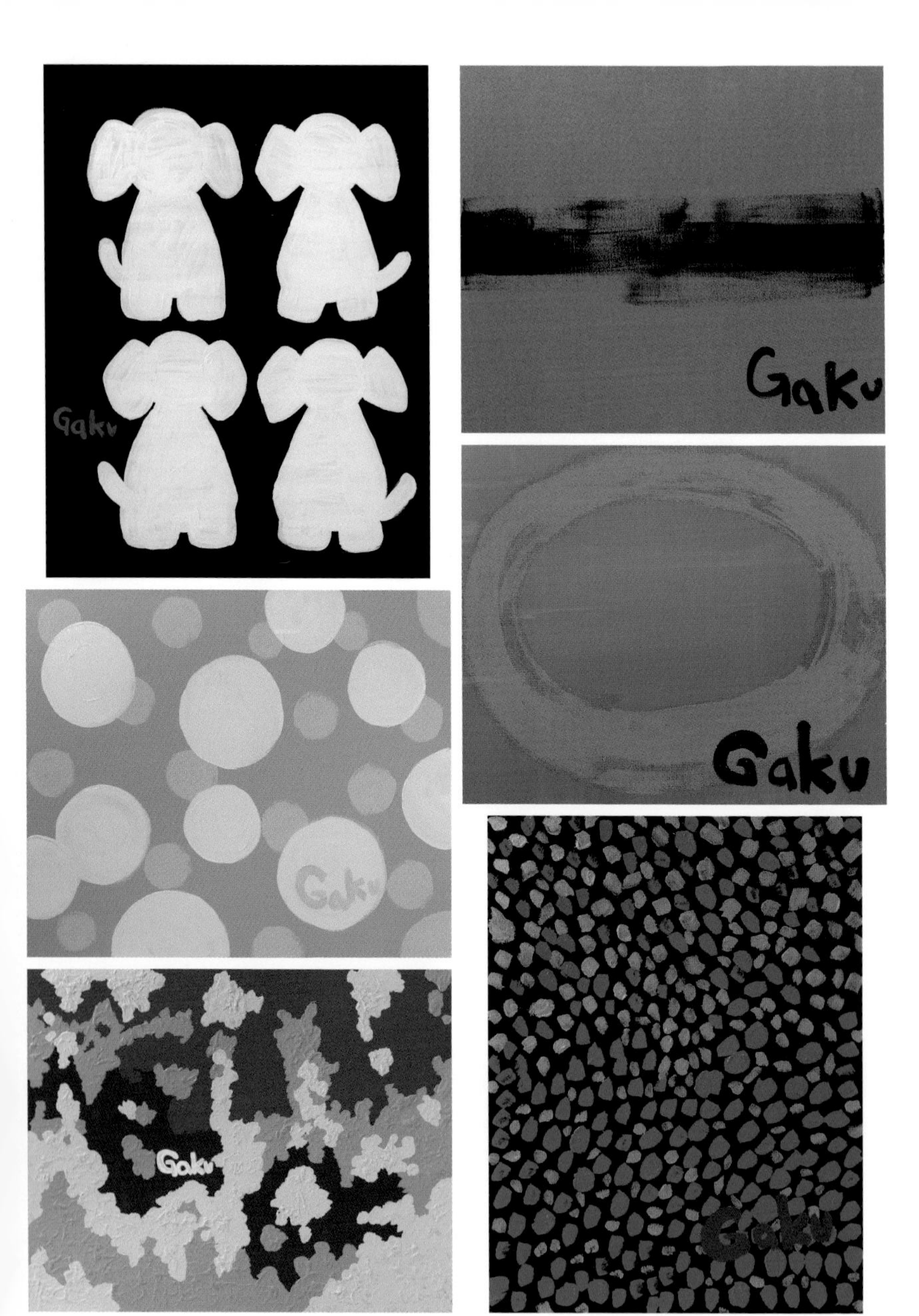

GAKUの作品は主に「動物」と「印象派」シリーズに分かれる。
印象派シリーズの大胆なブラシ・ストロークを見ると、GAKUの中に秘められている別の側面が見えてくる。
ミニマルでありながら、洗練されたセンスが際立っている。

高津につくったギャラリーでマネージャーたちを案内（21歳）

いつもかわいがってくれるアイムのスタッフたちと（21歳）

GAKU, Paint!

自閉症の息子が奇跡を起こすまで

佐藤典雅

CCCメディアハウス

はじめに

奇跡を呼ぶ自閉症アーティストGAKU！

２０２０年5月20日の夜。待ちに待ったGAKUの取材の様子が、ついにフジテレビのドキュメンタリー番組「フューチャーランナーズ」で放送された。そこでGAKUは19歳の自閉症の画家として登場していた。そして偶然にも、同日午前には神奈川テレビ「イイコト！」でも、GAKUの取材模様が放送された。

新聞でもたびたび取り上げられ、神奈川新聞（9月27日）ではカラーの一面記事で登場し、朝日新聞神奈川版（２０２１年12月20日）でも大きく取り上げられた。

２０２０年の冬にはTBSのSDGｓキャンペーンのエコバッグにGAKUの絵が採用され、大々的にアピールされた。２０２１年2月と6月には2回にわたってBS－TBS「最旬！トレンドサーチ」でGAKUの密着取材が放送。続いて、「週刊女性」（7月17日号、主婦と生活社）の「人間ドキュメント」では、７ページの特集記事が組まれた。

2022年9月22日には、テレビ朝日「大下容子ワイド！ スクランブル」で15分にわたってGAKUがフィーチャーされた。反響は大きく、「ガクさん見ましたよ！」とあちらこちらで声をかけられる。

GAKUがなぜこれほど注目されているのかというと、彼はまだ駆け出しの画家でありながら、数多くの企業とコラボレーション（以下、コラボ）を展開しているアーティストでもあるからだ。現在、彼の作品を使ったコラボ商品は、世界中で販売されている。

2022年春には、バッグのブランドであるLeSportsac（以下、レスポートサック）からGAKUとのコラボ商品がグローバル展開された。GAKUの商品ラインは春、夏、秋、冬と4シーズン連続で発売され、販売数1万個を超えるヒット商品となった。

時期を同じくして、THE BODY SHOP（以下、ザボディショップ）からはGAKUのギフトセットが発売。お店全体がGAKUの絵でラッピングされ、大々的に展開された。

レスポートサックとザボディショップのコラボは偶然にも発売時期が重なったため、同じ商業施設内のふたつの異なるブランド店舗でGAKUのパネルが同時に並ぶこととなった。

2023年の3月には、DIANAからGAKUの絵をあしらったキャンバスシューズ、サンダル、バッグが発売された。4月には、かんぽ生命のCMに出演。10月には、ゴディバとのコラボ商品が発売される予定。そして冬には、二子玉川ライズにある440平方メートルの展示場での大規模な個展を計画中だ。

22歳(2023年現在)でこれほどの活躍をしているGAKUだが、実は重度の知的障害と多動症を持つ自閉症だ。

GAKUが突然絵を描き始めたのは、16歳のときのこと。遠足で川崎市にある岡本太郎美術館に行ったのがきっかけだ。ここで彼は、太郎師匠からなんらかの信号をキャッチしたのだろう。

"Gaku, paint!"

翌日からそう宣言すると、突然絵を描き始めた。それまでは5分として椅子に座っていることのできなかった超多動症の彼がである! それがその日を境に、年間200枚以上の作品を生み出すようになった。

彼の創作活動は、多くの反響を呼んでいる。

2021年8月に、画集を作るためのクラウドファンディング(以下、クラファン)

を実施したところ、1200万円の支援金が集まった。そのお金で、画集の制作のほか、高津（神奈川県川崎市）にＧＡＫＵ専用のギャラリーを開設することもできた。

これらはすべて、ＧＡＫＵが16歳のときに突然絵を描き始めてから5年の間に起きた事柄である。これだけの実績を持っているアーティストは、健常者の中にもなかなかいないだろう。そして、知的障害者としての同情票だけで、これだけの結果を出すことはできない。

これらは、アーティストＧＡＫＵとしての絵の実力があってこその話だ。しかも彼は、非常に限られた言語力でここまでやってきた。こうやって書くと、できすぎたストーリーに見えるが、実はこれらは一連の不思議な、そして小さな奇跡の積み重ねによって実現したものだ。

毎日笑顔でいるＧＡＫＵも、ここにくるまで多くの内面的な葛藤を乗り越えてきた。そして、今でも自閉症に伴う激しい衝動と日々対峙している。

言葉をほとんど持っていない彼が「絵」という武器を手に入れるまでは、実に長い道のりだった。それは、家族にとっても大きな試練となった。しかし、それらから逃げずに一つひとつ正面から向き合うことで、毎回課題となる壁を乗り越えてきた。

「奇跡」を起こすには、それなりの「軌跡」がある。

奇跡は、何も行動を起こさないところにはやってこない。だからこそ「必然的な偶然」という「奇跡」を呼び起こすためには、行動を起こす必要がある。そのことを、GAKUは身をもって証明してくれている。

この本では、GAKUが起こした奇跡とそこに至る経緯について書いていきたいと思う。自閉症である息子の「がっちゃん」が、どうやってアーティスト「GAKU」になったのか、その物語だ。

CONTENTS

CHAPTER 2

アメリカでの生活

CHAPTER 3

GAKUが絵を見つける

CHAPTER 4

アート活動を本格的にすすめる

CHAPTER 5

広がるGAKU WORLD！

CHAPTER 6

これからのGAKU

CHAPTER

1

がっちゃんの幼少時代

がっちゃんとのファースト・コンタクト

がっちゃんが誕生したのは、2001年5月1日午前7時47分。体重3275グラム、身長50・5センチ。小さな体で、この世界にデビューした。

ボクと妻のさっちゃんは、1995年にハワイで結婚している。ボク自身は子どもの頃から親の海外転勤が多く、当時実家はハワイにあった。その後、98年に帰国し、横浜市の東戸塚にネコのココちゃんと暮らし始めた。そして結婚から6年後に、待望の赤ちゃんを授かった。

赤ちゃんには「楽音（がくと）」という名前をつけた。「楽しい人生を送ってほしい」という意味を込めてだ。あだ名は当然ながら「がっちゃん」になるだろう。

「がっちゃん？　なんかガチャガチャしているわね。騒がしい子どもになりそうね」

ハワイのおばあちゃんはそういったが、実はこれはあとになって正しいと証明されることになる……。

がっちゃんが生まれてから2年後に、妹りりちゃんが生まれた。佐藤家のメンバーはボクとさっちゃん、がっちゃん、りりちゃん、そしてネコのココちゃんということになる。とはいえ、ココちゃんは6年前に旅立ってしまったので、現在は4人家族だ。

がっちゃんは生まれてくる前からも、そして今も騒々しい子どもだ。

さっちゃんは、妊娠した直後から切迫流産となり、半年以上寝込むことになった。

がっちゃんはといえば、生まれてくるときにヘソの緒を首に巻きつけて窒息しそうな状態になってしまい、吸引分娩で引っ張り出す必要があった。だから、生まれてすぐのがっちゃんの頭は、吸引された片側だけボコッと大きくふくらんでいた。母子手帳には「臍帯（さいたい）・強度の巻絡（けんらく）」「胎児切迫仮死」と書かれてある。

がっちゃんは、生まれてから最初の数日間はチューブにつながれて特別なカプセルに入っていた。だから、ボクががっちゃんを抱いたのは、生まれて数日経ってからだ。

がっちゃんを初めて抱き、彼の頭をボクの手の平の上に置いて顔を眺めてみた。すると、目が合った。

突然ボクは、がっちゃんの目に吸い込まれそうになった。ものすごく強い引力を感じて、まわりの空間ごと吸い込まれそうな感覚に陥った。思わず彼の瞳に引き込まれて見入ってしまったのだ。このときの強い感覚は、鮮明に覚えている。

がっちゃんが特別な存在だと感じたのは、このときだ。もちろん、どの親子も特別な絆を感じると思うが、ボク個人はそれ以上のものを感じた。ここまでくれば、親バ力も立派なところだろう。

とはいえ、がっちゃんを育てるのは並大抵のことではなかった。さっちゃんは毎日つきっきりだったので、ボクよりずっと大変だったはずだ。今思い返しても、さっちゃんはこの試練をよく乗り越えてきたと思う。多分、彼女でなければがっちゃんの子育ては無理だったと思う。でも、時々こう思うことがある。

「仮にがっちゃんが自閉症でなくても、結構大変だったんじゃないのかな……」

なぜなら、がっちゃんは圧倒的なエネルギーの持ち主だからだ。自閉症ではなかったとしても、別の大変さがあったのではないかなと思う。

ともかくがっちゃんは、台風の如くわが家にやってきた。

断言するが、彼が生まれてくる前から現在に至るまでこのかた、がっちゃんに関して楽だった時期は一度もない。常に大変の地続きだ。今でもその「大変」は形を変えて進行中で、わが家の台風は毎年進化を続けている。

赤信号で止まれば癇癪！

がっちゃんは、生まれたときから顔が整っていると思う。目がパッチリしていて、瞳がキラキラしているように見える。そして笑うときは、ほっぺたに大きなエクボができる（どちらもさっちゃん譲り）。

そしてがっちゃんは、いつも賢者のような顔をしていた。でもこれは、単純にいつも難しい顔をしていたからかもしれない。生まれた直後から何かというと眉間にシワを寄せていて、何か世の中の難しい哲学を考えているような表情だった。

がっちゃんは、起きた瞬間から寝る瞬間までハイパーだ。これは、赤ちゃんのときから現在に至るまで変わらない。だから、わが家が平和になるのは彼が夜寝るときか、週末に昼寝をしているときだけだ。

赤ちゃんであるがっちゃんは、昼夜関係なく、誰かが抱っこをしていないと「ビヒャーッ！」と癇癪を起こした。だからボクにもさっちゃんにも、「この爆弾を置いたら爆発する！」ぐらいの緊張感があった。

一瞬でもがっちゃんを床やベッドに置くと、すさまじい声で泣いた。悲しくて泣いているというよりは、「オレさまを放っておくとは何事だ」のようなトーンだ。しかも抱っこするだけではダメで、ずっと動いていないといけない！

ボクは家にいるときは、いつもがっちゃんをおんぶか、抱っこしていた。そんながっちゃんだから、ベビーカーも常に動いていないと癇癪を起こした。そのため、レストランでベビーカーにがっちゃんを座らせて家族で食事をするというのは論外。おかげで最初の数年間は、外で食事をすることもままならなかった。

この癇癪玉のようながっちゃんが唯一おとなしかったのは、車に乗っているときだ。なぜかドライブのときだけは、ご機嫌だった。しかし、それも車が動いているときだけに限定された。景色が動いていないとダメなのだ。

「もう少しで青だよー、待ってー！」

がっちゃんがそんなことをわかるわけもなく、赤信号で停止するだけでも癇癪を起こす。

抱っこが止まれば癇癪！

ベビーカーが止まれば癇癪！

車が止まれば癇癪！

今考えれば、これらはがっちゃんが多動症だからということで説明がつくのだが、原因がわかったところでつける薬があるはずもなく……。

というわけで、わが家はがっちゃんが生まれて以来ずっとドタバタであり、それは現在でも進行形だ。

散歩ですら主導権を握る

スーパー多動症で、せっかちながっちゃん。彼は通常の赤ちゃんハイハイをすっとばし、6か月の頃に突然立ち始めた。多分がっちゃんは立っている大人を見て、そのまま真似しようと思ったのだろう。

とはいえバランスは悪く、立ち上がった瞬間、すぐに仰向けに頭から木の床めがけて倒れる。

「ドシーン！　ビヒャーッ!!」

当然頭を強く打ったがっちゃんは、激しく泣く。それでもまたしばらくすると、一人で立つ。

ふらふら、ゆらゆら、バタン、ビヒャー!!

この繰り返しだ。なぜか彼は絶対にあきらめない強い意志を、この頃から持っていた。あまりにも危なかったので、リビングルームの四方に布団を丸めて置いていた。

だから部屋は、ボクシングリングのようだった。

この頃から、2階のベランダの柵にもよじ登るようになった。これが結構危ないので、冬の寒い中、ボクはベランダに座って震えながら、がっちゃんを毎日1時間見張っていた。

その後、1歳前でよちよち歩きの散歩を始めるようになった。常にイニシアチブ（主導権）を握りたがるがっちゃんは、ボクの手をふりほどくと、一人で前方を歩きたがった。しかし、車も頻繁に走っているので、危なくて仕方がない。手を握ろうとすると、「ウウーーッ」といって払い除けられてしまい、スタスタと前に行ってしまう。

危険なので、ベビーハーネスを付けようと思ったが、これも泣いて嫌がる。そのため、目の前をスタスタ歩くがっちゃんを後ろから追いかけていかなければならない。しかも、がっちゃんの散歩は最低1時間以上！　下手すると2時間コースだ。なので、こちらも長時間歩くだけというのも退屈だ。

「ただ単に散歩しているのもつまらないな……」

そう思い、がっちゃんにミッキーマウスのコスチュームを着せて散歩することにした。

がっちゃんは最初「なんじゃこれ？」という感じで微妙な顔をしながら歩いていた。

だけどチビのミッキーが歩いていると、近所の人が「あらま〜かわいい！」と声をかけてくれる。

「なんか自分は注目されているぞ！」

がっちゃんもそれに気がついたようで、得意げにその格好で散歩するようになる。

多分どこの家庭でも子育ては大変だと思うが、だからこそ親として自分もどうやったら楽しめるのかを考える工夫が大切なのだろう。

1歳で散歩を始めたがっちゃんは、ゼンマイを巻いたチョロQ（車のオモチャ）状態だった。床に置いた途端、タカタカと走り回る。抱き上げると、足をバタバタさせて「降ろせー！」と意思表示をする。

しかもこのゼンマイがっちゃんが一人でショッピングモールのエスカレーターを乗り降りするようになったから、もう大変だ。よちよち歩きのままエスカレーター前から加速して、動いているエスカレーターにパタパタと飛び乗る。そしてゆらゆらと不安定に揺れながら、一人で降りていく。

このときから、立体的に迷子になる可能性が出てきた。平面だけでも追いかけるのが大変なのに、立体的に移動するようになったら完全にお手上げだ。

この頃は「活発すぎてひたすら大変な子ども」という感覚しかなかった。自閉症や多動症という言葉も知らなかったし、単純にそういう性格の子どもだと思っていた。逆に「自閉症」を知らなかったことにより、先入観を持たずに済んだのでよかったのかもしれない。

そんながっちゃんは、大人になった今でも常に小走りだ。多分、彼が普通のペースで歩くのを見たことがある人はいないと思われる。

そんな姿を見て、「本人も大変そうだな」と思うときがある。がっちゃん自身、動きたくて動いているのではなく、常に何かのエネルギーに突き動かされているような節がある。

ごはんを床に投げつける

がっちゃんが赤ちゃんの頃の写真を見ると、かわいい笑顔のがっちゃんばかりだ。でもそれは、シャッターチャンスをボクがかなり選んでいたからだ。普段のがっちゃんは、癇癪を起こして泣いていることのほうが多かった。

昼も夜も面倒を見ているさっちゃんの苦労は、想像を超えるものだ。あまりにも大変だったので、「かわいい」と思える心のゆとりさえなかったほどだったらしい。

がっちゃんは好奇心旺盛で、いろいろなイタズラをしていた。

中でもがっちゃんが特に好きだったのが、ティッシュ遊び。まるでマジシャンかのように1枚出しては次を出して、また次を出す！ こんな感じで一箱分のティッシュを全部出してしまう。もったいないから捨てるわけにもいかず、わが家にはいつも箱から出されたティッシュの山がたくさんあった。


がっちゃんは、食事のときも変わっていた。

まず、ミルクを一人で飲みたがった。抱っこされるのを嫌がり、一人でチュパチュパと哺乳瓶の音を立てて飲んでいた。

それからしばらくしてごはんを食べるようになったが、毎回ごはんは手づかみしていた。何度もスプーンで訓練したけれど、すぐにスプーンを投げ出す。

がっちゃんは、ここで新たな謎の行動に出た。なぜか、食べ物をわざと床に投げるのだ。お粥をスプーンですくっては、床に落とす。しかも、確信犯的にやっている感じがする。

「がっちゃん、やめて！」

さっちゃんも叱るのだが、がっちゃんのスプーン投げはさらにエスカレートする。そこで、さっちゃんがより強く注意をする。すると、がっちゃんはそれを受けて、より挑戦的にスプーンを「えい！」と大きく振る。ごはんが勢いよく床に落ちる。

その瞬間、いきなりがっちゃんの顔に水がバシャッ!!とかかった。がっちゃんは面食らって動きが止まる。さっちゃんの勘忍袋の緒が切れて、コップに入っていた水をがっちゃんに勢いよくかけたのだ。

「すっげーなぁー、やるなー」

ボクは感心してしまった。普段はおっとりしていて怒らないさっちゃんだが、ここだという線を越えたら断固として対応する。もちろんこれ一発で問題行動が収まるわけではないが、時々強いストッパーを噛ませないと、こういった行動はエスカレートする。常々思うが、ネコと子どもには舐められたら終わりだ。

最近は過度に「子どもに寄り添う」風潮になっているが、そのやり方がすべての子どもにあてはまるわけではない。子どもの横柄な態度を抑制するための姿勢も必要だ。ソフト路線だけでうまくいくのなら、誰も子育てに苦労はしないだろう。

積み木を積み上げる

がっちゃんは、2歳になる前からいろいろなものを積み上げて遊ぶようになった。最初はVHSのビデオテープや絵本を横に寝かせて積み上げるだけだった。

やがて、がっちゃんの物の積み上げ技術は高度になっていった。ビデオテープを縦に2本平行に立てると、次に絵本をその上に置いていく。それを繰り返して、建物を建てるように積み上げていき、次第に自分の身長よりも高く積み上げられるようになっていった。

「おお〜かしこい〜。建築家になるかな〜」

がっちゃんがビデオテープを重ねて遊んでいるのを見て、呑気に喜んでいた。今思えば、これは明らかに自閉症のサインだ（物を並べたり積み重ねたりするのは、自閉症の子に見られる特徴）。しかしこのときもまだ、「自閉症」という言葉すら知らないままだった。

この頃のがっちゃんは、なんでも積み上げていくのが大好きだった。ファミレスに行っても、全員のお皿を全部自分の前に置いて、重ねては遊んでいた。バナナを食べるときでさえも、切ってあるバナナを縦に積み上げていった。

当然ながら、積み木遊びも熱心だった。4センチ四方の木のブロックを、縦一本に積み重ねる。積み木を20個ぐらい縦に一直線に重ねていく。細長いので、当然積み上げたブロックは崩れる。

「ビャーッ!!」

積み木が崩れると、癇癪を起こして大泣きする。しばらくするとまた、ブロックを縦に積む、崩れる、癇癪……。このサイクルが何回も続くので、家族にとってがっちゃんのブロック遊びは恐怖だった。

それからほどなくして、機関車トーマスのオモチャを横に細長く並べるようになった。12個ほどの電車を一列に並べていた。それからだんだん他のものも並べていくようになる。さまざまなオモチャ、絵本、乾電池、いろいろなパッケージまでも、すべて一列に並べるようになる。

この一列もだんだんと長くなり、部屋全体を横断する形になっていく。問題は、誰かが通ってうっかり足で列を崩してしまうと、癇癪を起こしてしまうことだ。だから家族は、部屋の中もおちおちと歩けなかった。今思えばここでも、完全に彼が自閉症であるサインは出ていた。

「なぜ自閉症の子は、積み木を並べるのが好きなのか？」

多分、自閉症キッズにとって、世の中は混沌としたカオスに見えるのだと思う。それは感覚過敏や言語能力が限られていること、論理的な思考回路が欠落していることも関係していると思う。

カオスな世界の中で、自分で何かを並べる行為によって、自分なりの「秩序」を作っているのだろうか。だからこそ、誰かがその秩序を壊してしまうと、パニックになるのかもしれない。

ハワイで気づいた「耳が聞こえてない？」

2歳を過ぎると、がっちゃんが他の子と違っていることは明白だった。とはいえ、ひたすら「大変な子だ」としか思っていなかった。「もしかしたら、がっちゃんに何かあるのかも」といい出したのは、ハワイのグランパ（grandpaの口語、おじいちゃん）だった。

がっちゃんのグランパとグランマ（grandmamaの口語、おばあちゃん）はハワイに住んでいる。孫の顔を見せるため、がっちゃんとりりちゃんを連れてハワイに行くことにした。

ところが2歳になったがっちゃんは、飛行機で大騒ぎした。飛行中は比較的おとなしいが、離陸と着陸のときが大変だった。

がっちゃんは、どういうわけか座席のベルトを異様に嫌がった。客室乗務員の方もやってきて、みんなで力ずくで椅子に押さえつけてベルトをする。がっちゃんは力の限り大声で喚きながら、椅子の中でのけぞってベルトの中からはい出ようとする。かなりな騒動だったので、さっちゃんは飛行機に乗るのが怖くなってしまったくらいだ。

ハワイに着くと、日本からはるばるやってきた孫たちにグランパとグランマも大喜びだ。りりちゃんに至っては愛想がよく、グランパに抱っこされて名前を呼ばれては喜んでいた。

ところが、がっちゃんはかなり違っていた。グランパが名前を呼んでも、グランパのほうを向かない。誰に名前を呼ばれても、おかまいなしだ。そして、いつも難しい顔をして、どこか違う方向を見ていた。

それを見たグランパが、不思議そうにいった。

「がっちゃん、耳が聞こえていないんじゃないの?」

「そんなことはないと思うよ」

「だって名前を呼んでも反応しないよ」

「そうかな〜、グランパに興味ないだけじゃないの」

家族みんなで呑気に笑っていた。そのときは、単に超マイペースな子どもだとしか思っていなかった。しかし、このときのグランパの違和感は正しかった。ほどなくして、がっちゃんが自閉症だと知ることになる。

がっちゃんが自閉症!?

「自閉症傾向あり」

がっちゃんがこう診断されたのは、3歳児健診のときだ。

今思えば、彼の癇癪や言葉が遅いことなどはあったが、それが障害であるとは思っていなかった。単に「元気すぎる子」くらいにしか考えていなかった。言葉が遅いのにしても、それは「個人差」ぐらいだろうと、呑気にかまえていたのだ。

「がっちゃんが自閉症らしいって……」

ボクが仕事から帰ると、さっちゃんが心配そうに報告してきた。

「自閉症って何？」

これがボクの最初の反応だった。

自閉症、それは果たして病気なのだろうか？「症」と付いているものは、たいてい病気だ。であれば、治療すれば治るものなのだろうか？

そもそも「自閉症傾向」の「傾向」とは、一体どういう意味なのだろう。

たとえば、ガンにかかれば「ガン傾向」とはいわないだろう。ガンはガンだ。それとも「うつ気味」とか「うつ傾向」みたいに、うつ病じゃないんだけどそんな感じだよ、という意味なのだろうか？

「自閉、自分を閉じる」と書いてあるから、それは引きこもりのことなのか？ということはやっぱりうつ病っぽいことなのか？　とにかく、ボクの頭の中にはハテナマークがたくさんあった。

そこで、ネットで「自閉症とは」と、検索してみることにした。２００４年当時はまだＡＤＳＬの時代で、今のような光回線も一般的ではない頃だ。

当時は自閉症に関する情報も、今よりずっと少なかった。自閉症を検索してみると、こんな特徴が出てきた。

・落ち着きがない
・人の顔を見ない
・積み木を一列に並べる
・座っていられない

「積み木を並べる……。あ、がっちゃん、やってる、やってる。人の顔を見ない、それもおじいちゃんが指摘していたな……。」

たしかに、がっちゃんの仕草は他の子どもと違っていた。しかし、これらの説明でも謎は残る。

「座っていられないって、病気なの？」

なんだか要領を得ない、釈然としない記述ばかりだ。そもそも落ち着きがないって、ただのヤンチャな子でしょ？　もっと不思議なのは「積み木を並べる」。この行為が病気だとすると、もっと意味不明である。

多分読者のみなさんも、身近に自閉症の子がいないと、自閉症とは何かわからないと思う。わが家にとっても自閉症は謎で、それは22年経った今でも謎である。がっちゃんの行動を見ていると、毎日新しい発見があるくらいだ。

アメリカに引っ越さないといけないのか!?

日本語のサイトだと釈然としないので、英語で調べたほうがよいと思った。ちょうどその頃、雑誌「Newsweek」で自閉症の特集記事が出ていた。アメリカではこの頃から自閉症への関心が高まっていた。ある意味、がっちゃんはトレンディだ。

自閉症は英語で「autism」だということを突き止め、英語で検索をかけてみる。やはり英語でも同じようなことしか書いていない。一体、何をどうしたらよいのかすら、まったくわからない。

英語でも、ネットを見る限りどこのサイトにも「早期療育が大切！」と繰り返し出てくる。「遅くても3歳までに対策を始めないと効果が出ない」と書かれていた。

「なに!?　早く始めないと、自閉症の治療は手遅れになるの!?」

英語だと「therapy」という言葉を使っている。セラピーといえば通常「治療」のことを指す。どうやら早く対策をとらないと、治るものも治らない！と、ボクは大変焦った。

2004年当時の日本では、自閉症に対する理解もインフラもとても遅れている状態だった。

横浜の区役所からは発達障害の検査をするように連絡を受けたものの、予約は半年先しか取れない。そしてその検査のあとに関しても、「仮に自閉症と判断されたら、療育センターに定期的に通ってもらうことになる」としか説明がなかった。この療育センターで何をするのかも、どんな効果があるのかも、説明が釈然としなかった。

「早くもっと具体的な対策をとらないと、がっちゃんの自閉症が治らない!!」

非常な緊迫感を持って、どこに行けば最善の療育が受けられるのかを調べた。

このときになんとなくわかったのは、ロサンゼルス（以下、ロス）の自閉症対策が進んでいるらしい、ということだけだった。そこで、どうにかしてロスに引っ越す方法を探さないといけないと考え始めた。

なぜロスかというと、ネットで自閉症関連の情報を検索すると、ロスに関する情報が多かった。また、自閉症の受け皿となる制度も施設もしっかりしているようだった。

これは多分、UCLA大学がロスにあったからではないかと思う。UCLAでは医療を教えており、近くにはたくさんの医療施設があった。そしてその中に精神科もあったので、自閉症の心理学を含めた分析が進んでいたのだろうとボクは考えた。

ボク自身は子どもの頃からアメリカ生活が長かったので、アメリカに引っ越すということに抵抗はなかった。とはいえ、仕事をどうするかは、かなり難問だ。一体どうしたらよいのだろうかと、途方に暮れた。

ここで、付け加えておくことが、ひとつある。

ここから15年後に放課後等デイサービス（以下、放課後デイ。障害のある学齢期の児童が学校の授業後や学校休業日に通う福祉サービス）を運営することになるが、そこで療育に対する疑問符がつくことになる。

だから、今考えると、横浜で具体的な解決策を見つけられなかったのは、もっともなことである。なぜなら、自閉症に関する具体的な解決策など存在しないからだ。これに関しては、今から話をしていこうと思う。

CHAPTER

2

アメリカでの生活

4歳で言葉を発していなかった

がっちゃんが自閉症だとわかったのは、2004年5月の3歳児健診のときだ。そのときボクは、ヤフー・ジャパンで働いていたが、ロスでの仕事を探すことが重要課題となった。

いくつか転職エージェントを回ったものの、なかなかこれだという仕事が見つからない。そんな焦っていたときに、1本の電話がかかってきた。その頃知り合ったばかりの、IT企業の社長からだった。この直後に、東京ガールズコレクション（以下、TGC）やKitson、Cosme Kitchenというブランドを仕掛けて一世を風靡することになる会社の方だ。

その社長曰く、「ロスに新しく子会社をつくるので、そこを任せられる人を探している」とのこと。ボクはその電話で、その子会社のマネージャーになることが決まり、2005年5月に家族でロスに引っ越すことになった。

4歳になったばかりのがっちゃんは、この頃になるともっと大変になった。

常に走り回ったり激しく飛び跳ねたりするので、ロスで家を探すときには階下に部屋がない物件を条件に探した。その中でウエストウッドにあるタウンハウス（長屋のように5軒横に連なっている）の中の1軒を見つけた。2階建てで地下が駐車場となっていたので、これが決め手となった。

ボクはといえば、サンタモニカにあるオフィスに朝から夜遅くまで張り付いていた。当初は3人で始まった完全なスタートアップだったので、激務だった。

ちなみにサンタモニカのオフィスからサンタモニカ・ブルバード（歌で有名なルート66）を30分北上すると、ウエストウッドになる。

この頃、がっちゃんは小学校入学前だったので、最初の1年は自費の療育プログラムを受けて過ごしていた。とはいえ、1時間60ドル（当時で約7000円）くらいするので、そんなにたくさん通うことはできない。

最初に受けたのは、スピーチ・セラピーという言葉の訓練だった。というのも、がっちゃんは4歳になっても、言葉が出てきていなかったからだ。

このときは「自分の子どもに知的障害がある」という概念が、ボクにはなかった。そのため、訓練をすればスラスラと普通にしゃべるようになるのだろうと漠然と思っていた。

スピーチ・セラピーを始めてから数か月経ったときに、ようやく言葉が出てきた。とはいえ、いくつかの単語が出てくるぐらいで、言葉をつないで文章で話す気配はゼロだった。

結局スピーチ・セラピーを続けたからといって、がっちゃんがスラスラと話すことはなさそうだということがわかってきた。また、がっちゃんを観察していて、言葉以前に、彼の頭の中の配線は普通の人とは違うのかもしれない、と思うようになった。

これは、ソフト（訓練）ではなくハード（脳の構造）の問題なのだ。つまり、頭の中の配線がそうなっている以上、物理的にその配線を組み替えることは不可能だということになる。そうであれば、訓練をしても限界は目に見えている。

そのため、スピーチ・セラピーは1年で打ち切ることにした。

もっとも、このセラピーのおかげでがっちゃんが言葉を発することができるようになったかどうかは、疑問だ。

ボクは、何もしなくても半年後に自然成長で言葉を発するようになったと思う。というのも、現在ものすごくおしゃべりながっちゃんを見ていると、セラピーを受けなかったらずっと無口だったというのは、想像ができないからだ。

逆にこのセラピーを受け続けていたら、がっちゃんがスラスラと普通に長文の会話ができるようになるということも、同じほどありえなかったと思っている。

現時点でも彼の言語能力はとても限られており、少ない単語を2、3個以上つなげて会話することしかしない。そのため、あのときのセラピーを続けていれば彼が演説を行えるようになった、と考えるほうが不自然だろう。

このときに「自閉症の早期療育に効果がある」ということに対して、うっすらと疑問を持った。結果を前倒しすることは可能だが、本人が生まれ持っている潜在能力以上の結果が出ることはないだろう。

というわけで、セラピーを受けようが受けまいが、がっちゃんはがっちゃんであり、自閉症は自閉症だ。一方で、このときはまだ淡い期待を持ち続けて、いろいろな方法を模索していた。

ちなみに現在のがっちゃんは、まわりから「うるさい！」といわれるほどおしゃべりだ。もちろん使える言葉の数は限られているが、それでもかなりのコミュニケーション好きである。がっちゃんの幼少期を振り返ると、自閉症の子育てのコツは「待つ忍耐力」なのではないかなと思う。

学校でのＩＥＰミーティングで「あれ？」と思い始める

アメリカでは、４～５歳の幼稚園から義務教育となる。がっちゃんは、幼稚園から14歳になる中学生までアメリカの学校で過ごした。

アメリカの療育体制は、しっかりと手厚く作られている。区役所のようなところで認定を受けると、今度は学校側が動き始め、年に一度ＩＥＰ（Individualized Education Program）という個人指導計画が立てられる。このときに、その子のレベルに合わせてどのようなプログラムを組むかが決められる。

がっちゃんの場合、療育セラピストが学校に毎日派遣されることになる。生徒一人につき、一人のセラピストがつく。たとえば、彼の支援学級には8人の生徒がいたため、8人のセラピストと一人の先生というふうに、大人のほうが多い。

次に、週に言語セラピーを何時間、行動セラピーを何時間、科目によっては普通級に参加できるクラスを何個と決めていく。この内容を決めるために校長先生、担当の先生、言語スピーチのセラピスト、行動療法のセラピストなど、合計5人ほどの担当者が出席する。

1年後には、この1年でがっちゃんができるようになったことについて話し合い、次の1年で何をするかを数値化していく。たとえば今年は「言葉を2つ並べる」ことができたので、次は「言葉を3つ並べて」話すようにする、といった具合だ。

これらの目標が細かく記載された書類は、そこそこの分厚さになる。実は、この計画書こそが契約書でもある。そこに記載されている療育プログラムの内容や時間量に異議があれば、保護者はサインを拒否して再交渉することになる。

アメリカでは学校の制度上、保護者が望むプログラムが提供されなければ、裁判に持ち込むことになる。

日本で保護者が学校を裁判で訴えたら、相当困ったモンスターペアレンツになるだろう。しかしアメリカの場合は、権利を獲得するための裁判として考えているので、学校側も予算なり人為的リソースなりを獲得するための手段だと理解している。

がっちゃんはクラスの中でも一番手のかかる生徒だったので、常に彼は手厚い支援を受けることができた。区役所側からは、放課後も週に4日（1回2時間ずつ）セラピストを家に送り込んでくれた。

ボク自身も、アメリカの療育制度について学ぶことができた。また、がっちゃんの療育プログラムが始まったときに「これで何か大きく変わるのかも！」と大きな期待を持った。

しかし、実際に療育プログラムが始まると「あれ？」と思い始めた。というのも、誰もがっちゃんの多動的な行動を止められなかったからである。最初はがっちゃんの衝動を止める何か魔法のような方法があると思っていたが、そんな都合のよい話はあるはずもない。

毎年ＩＥＰミーティングをするうちに、この疑問は確信に変わっていった。というのもＩＥＰで決められる個人指導計画の結果と目標が、ボクの予想を超えたことはないからである。毎回決められる目標設定は、放っておいてもそうなるであろうがっちゃんの「自然成長」の範囲を超えることはなかったのだ。

小学校1年生で「2単語」使えたから、2年生で「3単語」使えるようになる。これは療育なしでも自然成長で、可能だろう。もしこれが「10単語で文章を構成する」であれば、明らかに療育の効果による差だ。でも、そんな飛躍的な目標が立てられることはなく、同時にそんな結果が出ることもなかった。

この頃から「療育って本当に効いているのか??」という疑問が出始めた。療育には、親が期待しているほどの効果はないのではないか？ それは、現在ボクが運営している放課後デイに通っている生徒を見ていても、感じる。

このことに関しては『療育なんかいらない！』（小学館）に書いているので、より詳しく知りたい方は読んでいただきたい。

療育の限界に気づく

そもそも「療育」とは何なのか、なじみのない読者に、あるいはこれから子どもが療育を受ける方に説明したいと思う。

療育とは、「療養」と「教育」を組み合わせた言葉だ。もともとは、手足の不自由な子どもを対象に、治療をしながら教育することを指している。これが自閉症に適用されたから、大きな誤解が生じたとボクは考えている。

一言でいってしまうと、一般的な意味において「療育」とは、自閉症の子を「健常児に近づける」ための行動訓練プログラムである。たとえば、自閉症の子には多動症が多いため、椅子に座っていられない。そこで、無理やり椅子に座らせる訓練をする。

療育の効果に関してはいろいろな議論があるが、全部の発達障害（知的障害、身体障害、精神障害など）が一括りにされて、療育を一般論で語るのには無理がある。同じ知的障害でも自閉症からダウン症、学習障害などでいろいろと性質が変わってくるからだ。よって、最終的にはその子の特性を見て、個別に判断する必要がある。

繰り返しになるが、がっちゃんに関しては、自閉症はどこまでいっても自閉症だ。そこでボクは、途中から考え方を変えるようになった。自閉症の子を健常児に近づけることはできないが、環境を自閉症の子に近づけることはできる。

この頃からボクは療育効果よりも「がっちゃんさえ楽しければ」を優先させるようになった。だからセラピー内容そのものより、家にやってくるセラピストとがっちゃんが楽しい時間を過ごせればそれでいいと考えた。

アメリカのセラピストには素敵なお姉さんが多く、がっちゃんは楽しそうだった。そのセラピストたちの多くは心理学を学んでいる学生で、機転も利く人たちで、がっちゃんにうまく合わせて相手をしてくれていた。

だから、のちに放課後デイをつくるときに、療育プログラムよりも、子どもたちが気に入ってくれる環境、つまり「空間」と「人」を揃えるほうが大切だと考えた。

がっちゃんにとっては、アメリカで受けた療育内容よりも、明るいはつらつとしたセラピストたちと楽しく過ごせた時間のほうが財産になっている。これが、アメリカに行ってボクが学んだことである。

がっちゃん、パソコンに熱中する

超がつくぐらいの多動症であるがっちゃんではあったが、時々何かの拍子にズバ抜けた集中力を見せるときがあった。がっちゃんが特に興味を示したのが、パソコンだ。がっちゃんが7歳頃のとき、学校でパソコンの操作の仕方を覚えたらしく、ある日突然ボクのパソコンで印刷操作をした。好きな『ベイビー・アインシュタイン』の画像をネットで検索して、そのままプリントしたのだ。

それで味をしめたのか、がっちゃんはボクのパソコン作業に毎回割り込んでくるようになった。しかし、毎回割り込まれるのは迷惑なので、8歳の誕生日にはノートパソコンをプレゼントした。

それからがっちゃんは、黙々とパソコンで作業をすることが多くなった。隣の部屋からずっとカチカチとマウスの音がするので、のぞいてみると、ずっと何か作業をしている。最初はネットで『セサミストリート』のDVDカバーの画像を全部集め、その画像をきちんと保存して、フォルダごとに整理していたのだ。

次にがっちゃんが始めたのは『ベイビー・アインシュタイン』の動画をパソコンで再生、それを1秒ごとにスクリーンキャプチャする作業だ。しかもその画像を一枚一枚、編集ソフトで編集してクロッピング（切り抜き）していった。そのため、それらの画像をめくっていくと、パラパラマンガのようになる。

あるとき、がっちゃんのフォルダをバックアップしておこうと思い、USBにがっちゃんのフォルダをコピーした。すると、何ギガバイトもデータがあったので驚いた。画像しかないはずなのにデータ量が多すぎるなと思い、がっちゃんのフォルダを開いてみたところ……。

そこには、がっちゃんが切り抜いた画像ファイルがタイトルごとにフォルダに整理されており、すべてファイル名が順番につけられていた。しかも、ひとつのフォルダにつき900枚ぐらいの1コマ画像が羅列されている。

このときに初めて、がっちゃんの並々ならぬ集中力と執念を垣間見たような気がした。

それからしばらくして、試しにボクのお下がりのアイフォーンをがっちゃんに渡してみた。するとがっちゃんは、アイフォーンで写真を撮るようになった。

そこには不思議な構図の写真がたくさん並んでいた。脈絡のない部屋の写真やら、外の景色が写っている。でもこれらの写真から、がっちゃんが普段、何をどのように見ているのかが少しだけわかるようになった。


いずれにせよ、彼が持つ潜在的な集中力は、のちに彼のアート活動で本領を発揮するようになる。だから、彼がずっとパソコンをやっているときに「やりすぎ」と止めなくてよかったと思っている。

今でも時々保護者から「うちの子がパソコンをやりすぎて、心配になる」という相談をされることがある。そのときには、こう答えている。

「ビル・ゲイツはパソコンをやりすぎて、おかしくなったのでしょうか？」

何事も、本人が納得するまでやるのは大切だと思う。何かに深く集中することにより、そこから得られる知識や知恵もある。それを大人の狭い感覚でやめさせるのは、得策ではないだろう。

子どもの邪魔をするのではなく、子どもの好奇心を後押しするのが、大人の役割だと思っている。

散歩とパトカーとドーナッツ事件

がっちゃんにとって、家のまわりの散歩は日課だ。これは赤ちゃんのときから変わらない。学校が終わったあとにスクールバスが家の前に到着すると、そのまま家に戻らず散歩コースに入る。

ロスに住んでよかったことは、日本と違って住宅街の歩道がしっかりとしていることだ。日本の道は狭い上に歩道がないところが多く、子どもが散歩をするには結構危険だ。しかし歩道があるとはいえ、がっちゃんは車道を渡るときにきちんと左右を確認しないので、彼一人で散歩させるのは危険だった。

散歩といってもがっちゃんはずっと走っているので、追いかけるこちらは大変だ。ロスの住宅の1ブロックはかなり距離がある。1ブロックを歩くだけで15分はかかる。これをがっちゃんは、毎回3周もしたがるのだ。しかも、ロスの炎天下での散歩はかなり苦行だ。

夏休みはもっと大変だ。平気で炎天下の中を2時間散歩する。あまりにも大変だから「今日はダメ」というと、脱走する。

ある日のこと、さっちゃんとりりちゃんは買い物に出かけ、ボクは家で作業をしていた。「そういえば、がっちゃん静かだな」と思っていたところ、さっちゃんが買い物から帰ってきた。

「なんか近所にパトカーが2台くらい来て、人だかりができているんだけど」

え、もしかして!?と思い外に出たら、パトカーの中でがっちゃんが泣き叫んでいた。

ロスは日本と違い、子ども一人が外を歩くことはない。小学生でも、親かお手伝いさんが迎えにいくのだ。しかもがっちゃんは童顔で背も低いので、9歳だけれど実際は6歳くらいの子が歩いているように見えたのだろう。だから、近所の人が一人で歩く子どもを見つけて、警察に（親切に）通報したのだろうと思う。

とはいえ、突然パトカーの中に入れられてしまったがっちゃんはパニックになっていた。同じことが二度続いたので、これに懲りて、がっちゃんが脱走できないように、玄関のドアの内側からも鍵をかけるようにした。

このときに、ボクがドアノブを取り替えるのを見ていたがっちゃんは、ドライバーを見つけると、すぐに家中のドアノブを外して回るようになった。ボクがドアを開けようとするとドアノブがスポッと抜けて、ドアに大きな穴が空いている。

それからわが家では、このドライバーを毎回隠す必要が出てきた。散歩に関連して、こんなマンガみたいなおまけ話もくっついてくるのだ。こんな毎日だが、ほっこりするエピソードもある。


あるときからがっちゃんは、散歩中に15分先のコンビニエンスストア（以下、コンビニ）まで猛ダッシュするようになった。とうていボクでは追いつくことができず、追いついたときには、がっちゃんはすでに食べ終えたチョコレートドーナッツのかけらを口のまわりにつけていた。


すると、店長が怒った顔で、こちらにやってきた。

「あなたの息子が何をしたか知っているか？　店に入ってきて、いきなりこのドーナッツを盗んだんだぞ」

この頃のがっちゃんには、お金で物を買うという概念がまだなかった。

「すみません、自閉症なのでお金を払うということをまだ理解していないんです」

すると店長も店員も"Oh…"という感じで、突然優しい雰囲気になった。

「多分今後同じことが起きると思うので、万が一彼が来て同じことが起きたら、ツケにしておいてください。近所なので、ボクが来たときにまとめて払います。さしつかえなければ、お金を多めに前払いしておいても大丈夫です」

「大丈夫、気にしないで。もし彼が来たら、次は状況がわかっているので」

それ以来、そのお店に行くたびに、店長が愛想よく挨拶してくれるようになった。

「今日は、彼はこのドーナッツを食べたよ。これがお気に入りらしい」

他の店員たちも、毎回楽しそうにがっちゃんの好物をボクに教えてくれた。こんなふうに、親切な人たちのおかげで助けられることも数多くあった。

自閉症だと知らないと驚かれるけれど、知っておいてもらえば助かることもある。だから今でも、近所のお店には、がっちゃんが自閉症であると説明している。自閉症であることを変えることはできないが、自閉症の子が住みやすい環境に変えることは可能だとつくづく思う。

『ベイビー・アインシュタイン』

がっちゃんが中学生、14歳のときのことだ。ボクは過去の写真をパソコンで整理していた。すると、がっちゃんがいきなり画面をのぞき込んできた。それは、がっちゃんが赤ちゃんのときの写真だった。

「ほうほう、自閉症でも自分の小さいときの写真に反応するのか？」

自閉症は、「人」に関心を示さないとよくいわれている。だから、写真に写っている人物に興味を持ったこと自体に、ちょっとした驚きがあった。

ところが、がっちゃんは、写真に大きく写っている自分の赤ちゃん姿には一切興味がないようだ。それよりも、彼の背景に小さく写っているテレビの台の棚を指差した。

「ＶＨＳ！」

「え、そこ!?」

よく見ると、棚の中のビデオケースのビデオテープが見える。かなり奥まった影の中に小さく見えているだけだったので、そんなところに目を留めたことのほうが驚きだ。

がっちゃんが指差したのは『ベイビー・アインシュタイン』シリーズのＶＨＳビデオのケースだ。２００２年当時は、まだBlu-rayやＤＶＤではなくＶＨＳが主流だった。

わが家の写真アルバムの中で、『ベイビー・アインシュタイン』が初めて登場するのは、がっちゃんが1歳9か月のときだ。この頃からがっちゃんは、このシリーズに夢中になっていた。アメリカで発売されたばかりの頃で、日本ではまだ売られていなかった。ハワイからグランマがお土産に持ってきてくれたCDだったように思う。

『ベイビー・アインシュタイン』は、アメリカ初の幼児向けのコンテンツだ。子育てをしていたお母さんが自分の子ども用に作ったビデオが大人気になり、のちにディズニーに買収されるほどの人気シリーズになった。

がっちゃんは、アンパンマンからミッフィー、しまじろうまでたくさんのキャラクターグッズを持っていた。それなのに、なぜかこの『ベイビー・アインシュタイン』シリーズだけには異様に強い関心を持った。

ビデオそのものはオモチャの映像が流れているだけで、何も情報量がないシンプルなつくりだ。バックには、がっちゃんが反応するオルゴールのチャイム音で音楽が流れている。特に、物語もキャラクター設定もセリフもない。ただただ単調なビデオが流れている。

どうやらこのシリーズを気に入ったのはうちの子だけではなく、よその自閉症の子たちも気に入って見ていたらしい。

それもあってか、アメリカでは一時期「『ベイビー・アインシュタイン』を見せると、自閉症傾向が強くなる」と懸念する声も出たほどだ。これも「アイパッドやアイフォーンを子どもにさわらせると、自閉症になる」と同じような都市伝説である。

ボクにいわせれば、その子はアイパッドをさわる前から自閉症だったのだ。そして、このビデオを見たから自閉症になったのではなく、自閉症だからこそ、このビデオが好きなのだろう。大人たちは多くの場合、因果関係をひっくり返して、不要な不安を煽りがちだと思う。

ちなみに、がっちゃんがあまりにも『ベイビー・アインシュタイン』シリーズが大好きだったので、ボクが運営している福祉施設の名前はここからきている。

日本に戻ることを決意する

ロスで9年が過ぎた。その間ボクは日本とロスの2か所に拠点を構えて、毎月出張で往復する生活を送っていた。ロスの家にいない時間のほうが長かったので、がっちゃんとりりちゃんの面倒は、さっちゃんが見ていた。

もちろん、これはさっちゃんにとって楽なことではなかった。そしてがっちゃんが成長して体が大きくなってくると、彼の自閉症的なこだわり行動を扱うのはより大変になっていった。

小さい頃から癇癪を起こすとさっちゃんを叩くという傾向があったが、力が強くなってくるとだんだん危険になってきた。そして、ついにがっちゃんのパンチが強すぎて、さっちゃんの鎖骨にヒビが入るということが起きた。

がっちゃんは思春期に入り、ホルモンのバランス変化で不安定になってきていた。パパのいうことは聞くが、ママのいうことは聞かない。あくまでわが家の場合は、お母さんよりもお父さんという「権威」のほうが抑止力になるのだ。

そのため、療育のときも、セラピストがさっちゃんに教えた指導方法よりも、ボクの一声のほうががっちゃんの行動を抑えることができた。結局、セラピー云々ではなく、「誰が」の要因のほうが大きい。これは、学校や福祉現場でも同じことであり、誰が先生かによって生徒たちの行動規範が変わってくる。

いずれにせよ、がっちゃんはママのいうことは聞かなくなった。これは、飼い主より自分のほうが偉いと思い込んでしまった犬と似ている。従属する者が「自分が一番偉い」と勘違いすると逆にストレスがかかり、より不安定になる。だからここで「父親」という権威が必要になってくる。

実際、ボクが家にいるときのほうが、がっちゃんは安定していた。しかしボクはTGCの仕事のため、1年の3分の2以上は日本に単身赴任をする生活で、そろそろがっちゃんもさっちゃんも限界状態になりつつあった。

そこでボクは、日本へ引っ越すことに決めた。ちょうど関わっていたTGCの仕事にも目処がつき、次の仕事を探すタイミングだった。そしてがっちゃんも14歳になり、多動症による大変さは変わらないものの、ほんの少しだけ聞き分けができるようになった。今のタイミングだったら、ギリギリ日本に戻ってもよいように思われた。

もともとロスへ引っ越した理由ががっちゃんの自閉症対策だったので、ある程度答えが出たのであれば、日本へ帰国するのが妥当にも思えた。そこでさっそく日本に帰国して、就職活動をすることになった。

このときはまだ、自分が福祉をやることになるとは夢にも思っていなかった。

CHAPTER

3

GAKUが
絵を見つける

アイムの福祉活動を始める

2014年の夏に、家族で日本へ戻ってきた。

日本に戻ったボクは、次の新しい仕事を探すべく忙しくしていた。ところが、がっちゃんの学校が決まらず、がっちゃんはずっと家にいた。当然、時間と体力をもてあまして大変な状態だ。そんなときに、放課後デイという発達障害児童を預かる福祉施設があると聞き、さっそく近くの放課後デイに見学に行った。

そこで、ボクとさっちゃんは衝撃を受けた。

なんとなく「日本の福祉は地味そうだな」という印象を持っていたが、思っていた以上に閉塞感が漂っていた。微妙なパステルカラーのゴムマット、手作りのポスターがペタペタ貼ってある殺風景な壁。侘しい折り畳みテーブルとテレビが一台あるだけで、パソコンなんてものはない。

それよりも衝撃を受けたのは、そこで働いているスタッフの姿だった。ロスのセラピストは、お洒落で垢抜けている人が多かった。ところが、日本ではその反対な上、アクセサリーもネイルも禁止で地味な制服姿だった。
ちょっとキツイ言い方に聞こえるかもしれないが、実際に多くの保護者や福祉業界以外の人は、ボクと同じような衝撃を受けている。これが「障害者はかわいそう」と思われている要因だなと、ボクは考えている。そういう雰囲気のところに通っていれば、かわいそうなイメージがつくのは当然だ。

自分が長居したくないところに、息子がいたいと思えるわけがない。これは大変なことになっているぞと、ショックを受けた。

その話を久しぶりに会った河野誠二（こうのせいじ）さんにした。彼とは、以前TGCで一緒に仕事をしていたことがあった。

「日本の福祉は、だいぶしんどい。とてもじゃないけど、がっちゃんを預けるわけにはいかないと思ったよ」

「だったら、のりさんが新しい福祉をつくったらどうですか？」

「え、オレが？　福祉、まったく興味ないよ。オレ一人では無理無理」

「だったら一緒にやるので、チャレンジしてみましょうよ」

そこで、二人で新しく福祉事業を始めることにした。多分ボク一人だったら始めようとは思っていなかったので、よきパートナーに恵まれて感謝である。

最初は市役所に行き、申請書類をもらうところから始めた。

無事に2015年1月に申請が通り、アイムの放課後デイが誕生した。名前は「I am⇒I'm」のアイムから取られている。すべての子どもが胸を張って"I am!"と宣言できるように、という願いを込めてだ。

最初の教室は、川崎市宮前平にオープンすることにした。教室の名前は「アインシュタイン放課後」。これはがっちゃんの好きなDVD『ベイビー・アインシュタイン』から取った。のちに教室が増えたときもそれぞれ「エジソン高津」「モーツアルト新百合」「ダヴィンチ武蔵小杉」「ピカソの就労支援」と付けた。

アイムの事業戦略として最初に打ち立てた戦略は、非常にシンプルだ。

「がっちゃんの成長に合わせて、事業を拡大する」

がっちゃんのニーズを満たすことが、他の発達障害の子たちのニーズを満たすことにつながる。

そう考え、彼の成長と共に、放課後デイ、ノーベル高等学院（以下、ノーベル）、ピカソの就労支援(生活介護)、グループホームを作ってきた。そして、その中からがっちゃんのアート活動が芽生えることになる。

大きくなったといわないで！

アインシュタインがオープンしてから、二度目の春が訪れた。がっちゃんは中学校を卒業して16歳になり、高校生になる年齢になった。そんながっちゃんは声変わりも始まり、背が突然グングン伸び始めた。自分でも身体の変化に気づいたがっちゃんは、精神的に不安定な状態になっていった。

「自分が大きくなったら、どうなるのだろうか？」

「中学校を卒業したら、どうなるのだろうか？」

「アインシュタインにも、通えなくなるのか？」

「小さい子どものままでは、いられないのだろうか？」

まさにこのとき、がっちゃんの将来には不安しかなかった。

“Gaku, growing down!”（背、伸びたくない）ウワァ〜!!!。（悲鳴）

家でも常にカリカリとしていて、すぐに癇癪を起こした。こういうとき、がっちゃんは窓から物を投げないと収まらない。これを無理やり止めるとパニックが爆発して、もっと手がつけられなくなる。

ちなみにがっちゃんは、基本的に英語で話す。アメリカでの生活で、頭の中の基本設定が英語になってしまったようだ。そのためなのか、彼の日本語もなぜかアメリカ人風の発音になっている。

また、英語の文脈は多くの外国人にわかりやすく作られているだけあって、「記号の並び」に近いところがある。自閉症の子にとっては、日本語より英語のほうが扱いやすいということがあるのかもしれない。

さて、がっちゃんのパニックが始まると、止めることはほぼ不可能になる。

あるとき、がっちゃんがマンションの5階の窓から生卵を投げてしまい、真っ青になった。さすがにこれは危険なことなので、かなり厳しく叱り、必死に止めた。すると、彼もこれはまずいと思ったのか、次は小さいチーズを投げるようになった。

これだけで気が済めばよいがそんなこともなく、次はたいていティッシュを投げる。ティッシュといっても、1枚ずつではない。紙箱ごとだ。これも同じく危険なので、窓から投げようとするのを家族で必死に止める。ここでかなり激しいとっくみあいになり、壁に穴が空いたこともある。

いくら紙箱のティッシュといっても、5階の窓から落ちてきたらかなり危険だ。だからわが家では箱入りではなく、ビニールパックのティッシュを常に用意している。

問題は、一度この癇癪が始まると修羅場が2時間ほど続くことだ。こちらのほうが参ってしまいそうになる。がっちゃんの思春期は、想像以上に大変になっていった。

自分の背が高くなっていくこと自体が、不安でたまらない日々。他の人からそれをいわれるのも、極度に嫌がった。

「がっちゃん、大きくなったねー」

"No———!!!"

毎回こんな感じで、慌てた表情になり、パニックになる。本気で泣きそうになり、大声で叫んで走って逃げていく。このときに、そばにいる人を突き飛ばしそうになるので、こちらが「ノー!!」といいたくなる。

今でもこのときの名残がある。

実は「大きい」と「背が高い」は禁句だ。だからたとえ取材中でも「背が高いですね」といわれると、ピューッと走り去ってしまう。もっとも今となっては別に嫌なわけでもないのだが、本人の中ではそういう「オチ」になっているようだ。

ココさん、あらわる

がっちゃんが中学校の支援学級を卒業した時点で、自前でノーベル高校をつくったのには理由がある。実はボクも知らなかったのだが、高校は義務教育ではないため、支援学級がない。支援学級の生徒たちが卒業後に行くのは、特別支援学校（元養護学校）である。

この特別支援学校は、従来イメージされている障害（ダウン症など）を前提とし、就労支援へ向けた訓練に重きを置いている。

しかし、がっちゃんのような自閉症は行動パターンが規格外（ボクはニュータイプと呼んでいる）で、就労支援の内職作業には向いていない。そのため、彼を特別支援学校に通わせるのは難しいように思えた。

そこで、通信サポート校である明蓬館の協力を得て、ノーベルをつくった。生徒はアイムに通っていたがっちゃんとタクミくんの二人となった。

「自閉症の子を普通に近づけるのでなく、環境を自閉症の子に近づける」

そんな高い理念を持って始めたノーベルだったが、こちらの思惑は早くから崩れ始めた。

優等生のタクミくんは同じ自閉症でもおとなしい生徒で、なんでも指示通りに動く子だった。高校の卒業資格を取るために、毎日勉強していた。しかしがっちゃんといえばその反対で、ほぼすべての指示を無視し、マイルールで自由奔放に過ごしていた。

やがてがっちゃんもノーベルの2年生になり、荒れる思春期真っ只中となった。ノーベルでもアインシュタインでも、がっちゃんの扱いには手を焼いていた。毎回教室が大騒動になるので、社長の息子でありながら放課後デイに出入禁止になる事態だ。息子のためにつくった福祉施設で出禁とは、笑えないジョークか何かだ。

「やっぱり高校なんてつくらないで、特別支援学校に任せておけばよかったかな」

初めてボクは後悔し始めた。


ちょうどそんな頃、わが家では悲しい出来事があった。長年連れそってきた猫のココちゃんが、19才で息を引き取ったのだ。ココちゃんはハワイで拾った子猫で、ずっと一緒に過ごしてきたメンバーだ。

がっちゃんは動物が近くに来るのを嫌がる。だからココちゃんが近くに来ると"No!"といって毎回逃げ去る。でもココちゃんの存在自体はまんざらでもないらしく、"Cat"と呼んでいた。

わが家にはココちゃんの姿はなくなり、写真が飾ってあるだけだ。当然さっちゃんとりりちゃんは大泣きだ。がっちゃんも、どことなく寂しそうだった。

しかし、ちょうどココちゃんがこの世を去ったその翌月に、入れ替わりでもう一人のココが現れた。英語表記も同じCOCO。それが、現在がっちゃん担当のココさんだ。彼女が面接に現れたときに、ボクはふとこう思ってしまった。

「もしかしたらココちゃんからのプレゼントで、ココさんがやってきたのかな」

とはいっても、面接に現れたココさんの見た目は、童顔のココちゃんとは正反対だった。ココさんは、真っ赤な髪とマニキュアで面接にやってきた。強い黒のマスカラとアイシャドウ、そして全身黒のモード系の服装。

(あ、ティム・バートンがやってきた!)

これがココさんへの第一印象だ。ココさんの前の職業を聞くと、パリコレでも活躍していたファッションデザイナーだという。

「なんでそんな方が、うちに来たいんですか？」

「実は、私の身内にも発達障害の親族がいまして。人生最後の仕事は、発達障害に関われる仕事にしたいと考えていました」

ふむふむ、なるほど……。すると彼女から意外な質問をされた。「髪の色はこのままでも大丈夫ですか？　あとこのマニュキュアも」

「なんで、そんなこと聞くんですか？」

「実はアイムの前にいくつかの福祉施設で面接を受けたのですが、全部断られまして。このヘアカラーとマニュキュアでは、利用者家族にとって失礼だから直してきてくれといわれて。でも、それじゃあ、私の存在が失礼みたいな言い方じゃないですか」

なるほど。福祉業界は、ヘアカラー禁止、マニュキュア禁止、アクセサリー禁止、地味な服装といった保守的な世界だ。

「そうしたらうちのダンナがネットで調べてくれて、ここの社長さんだったら大丈夫なんじゃないかといわれて応募しました」

「大丈夫ですよ、うちは気にしないですよ」

というわけで、ココさんはパートタイマーとしてアイムに入ることになった。

ここから、がっちゃんの新しいチャプターが始まる。

ココさん、がっちゃんの担当になる

ココさんはファッション業界で長年働いてきただけあって、結構気が強い（映画『プラダを着た悪魔』を見ればわかるだろう）。ボク自身、TGC時代に非常に気が強いファッション関係者を相手にしてきたので、慣れてはいた。

ココさんと話したところ「ちょっとしたことではめげないだろう」と感じた。そこで、最も手強い生徒が揃っているアインシュタインで働いてもらうことにした。その手強い生徒の中でも最強なのが、がっちゃんだ。

ココさんは現場に入ると、さっそくがっちゃんの噂を耳にして興味を持った。

「社長の息子なのに出禁になっている子がいるって、一体どんな子？」

がっちゃんのその頃のマイブームは、全身の毛をハサミで切ってしまうことだった。まず、性器に生えてくる毛を切ってしまう。髪の毛も自らバリカンで刈ってしまう。だからがっちゃんは、いつも変な五分刈り状態だった。さらには、眉毛とまつ毛もハサミで切ってしまう始末だ。このときのがっちゃんは、完全なヤンキールックスだった。

でも、ココさんはそんながっちゃんに一目惚れだったという。

「この子かわいい！　この子と関わってみたい！」

ココさんはこう強く思ったそうだ。


ココさんが入って、2か月ほど経ってからのことだ。そのときはまだ週2、3日のパートだった。そんなココさんが、ボクに話があるという。

「がっちゃんを担当させてください！　がっちゃんは午前中、ノーベルですよね？そこのスタッフが辞めると聞いたので、私が担当したいです」

スーパー多動症で、いうことをまったく聞かないがっちゃんの世話は、大変だ。こんな大変な役回りを志願するようなスタッフがいるとは、思えなかった。

「……いいですけど、本当にいいんですか!?」

ちょっと意表をつかれたが、ココさんならがっちゃんに対してマウントをとれるかもしれないと思った。

「では、常勤になってください。午前はノーベルでがっちゃんの担当を、午後はアインシュタインでお願いします」

ここから、がっちゃんとココさんの物語が始まった。がっちゃんが高校2年生の夏のことだ。ココさんも最初のうちは、がっちゃんに勉強をさせようといろいろな方法を試していた。

がっちゃんの学力を見ようと、算数のドリルを試しにやらせてみたところ、足し算と引き算はなんとかできることがわかった。掛け算も九九まではできた。ただ厳密にいうと、数字を掛けているのではなく足し算をしていたのだが……。

そして割り算を試したところ、がっちゃんの中には「1より小さいもの」という概念がないということを知る。

「1÷2」は「0・5」ではなくて「2」なのだ。リンゴをふたつに割れば、それは「2個」になる。これはがっちゃんが正しいといえば正しい。

また、図面で円のケーキを3つに切る線を書かせようとすると、ベンツのロゴのようなY字を書くことができない。どうやっても、T字にしか円を区切ることができないのだ。

絵に関して興味深かったことがある。

ココさんが図工の授業で、札幌にある時計台の写真をプリントして写生をさせてみた。するとがっちゃんは、いきなり用紙の真ん中に丸い時計を描いた。それから時計を囲い込むように、建物全体を描いていったのだ。

一般的には、用紙の中に構図が収まるように建物全体から描いて、最後に時計を描き込むだろう。でもがっちゃんは逆の順番で描いていき、しかも建物がピッタリと用紙に収まっていた。

「この子、どうやら空間認識能力は人一倍あるみたいね」

ココさんは、がっちゃんが描いた時計台を見て感心したようにいった。

岡本太郎の絵の前でじっと立っていた⁉

がっちゃんのスーパー多動症ぶりはものすごく、がっちゃんに普通の授業を受けさせるのはほぼ不可能だった。それを見かねてココさんが提案してきた。

「のりさん、がっちゃんを遠足に連れていってもいいですか？　机での勉強の代わりに、社会勉強としていろいろな体験をさせたほうがいいと思うので」

たしかに、そのほうがいいだろう。

がっちゃんの集中力が続くのは5分程度だったので、通常の授業ではもたない。運動の授業も試してみたけれど興味を示さず、指示された運動はいっさいしない。こういうときのがっちゃんは、まったく聞こえていないかのように指示をスルーする。

そして、毎日ノーベルを脱走しては、エジソンやコンビニで珍事件を発生させていた。ここは遠足にでも行ったほうが、お互い楽だろう。

「そうですね。遠足を増やして、好きなところへどこでも連れていってください」

とはいえ、これはこれで大変なタスクだ。がっちゃんはいつも走り回っていたからだ。

でも、そんながっちゃんのペースに一方的に引っ張られるココさんではなかった。珍獣使いのようにがっちゃんを制しながら、頻繁に遠足に出かけていくようになった。

ココさんの実家は、銀座で画廊をやっていたそうだ。ココさんも若い頃は画家を目指していたらしい。

そんな背景のためか、ココさんはがっちゃんに絵を見せようと思い、美術館に連れていくようになった。

ロスに住んでいたときは、ボクはがっちゃんをよくGettyなどの美術館に散歩がてら連れていっていた。でも、がっちゃんは絵に関心を持つことはなく、いつも小走りでウロウロするだけだった。

ココさんが連れていっても、やはりそれは同じだった。ココさんは毎回小走りで動き回るがっちゃんを追いかけ、疲れて帰ってきていた。

そんなある日、奇跡が起こった。誰も想像することのない出来事だった。

ココさんはその日、川崎市にある岡本太郎美術館にがっちゃんを連れていった。その日、美術館から戻るとココさんが興奮して報告しにきた。

「がっちゃんが、一か所に5分間立ち止まっていました！」

「え、同じところに立って動かなかったの??」

がっちゃんは、1分として同じところに立ち止まることができない性格だ。それが5分静止していたとは、信じ難い話だ。

「そうなんです！　1枚の絵の前でずっと釘付けになっていました！」

「がっちゃんが、絵をじっと見ていたの……!?」

これはもっと信じ難い話だ。がっちゃんが、美術館で絵に関心を示したことはなかった。この報告を聞いて、ボクも他のスタッフも驚いた。

でも、本当の奇跡は翌日に起きたのだ……。まさかそこから新しい物語が始まるとは、そのときは、誰も夢にも思っていなかった。

Gaku, paint! 突然絵を描き始める

岡本太郎美術館への遠足の翌日から、変化は起こった。がっちゃんはノーベルの教室に来るなり、こういった。

“Gaku, paint!”（絵、かくー）

この一言から、アーティスト「GAKU」の創作活動が始まったのだ。

がっちゃんは、手元にあったトレーシングペーパーにいきなり絵を描き始めた。

この頃は、がっちゃんが絵を描くことを想定していなかったので画用紙がなかった。そこで、ココさんは慌てて教室にあったトレーシングペーパーのロールを切り取り、がっちゃんに渡した。そのため、最初の作品の数点はトレーシングペーパーに描かれている。

「がっちゃんが、朝からずっと集中して絵を描いています!!」

「……がっちゃんが絵を？　ずっと？」

この報告を聞いたときには、信じられなかった。一か所でじっとして何かに集中をすることのなかったがっちゃんが、おとなしく絵を描いている。

最初に描き上げたのが、「太陽」というタイトルの絵だ。黒色の背景に赤、青、緑、オレンジなどの球が8個描かれていた。

「たいよー、たいよー」

がっちゃんはこういいながら、この絵を描いたという。

不思議なのは、岡本太郎美術館で見ていた絵が太陽だとは、誰もがっちゃんに教えていない、ということだ。がっちゃんは説明文も読めないので、どうやって岡本太郎の作品が太陽をモチーフにしていると知ったのだろうか？

そして、もうひとつ。普通であれば、黄色か赤色の玉をひとつ描いて太陽とするところだ。そこを、がっちゃんは異なった色で複数の円を描いて「太陽」だといった。

もしかしたら、がっちゃんは岡本太郎の作品を通じて、向こうの世界から同じ電波をキャッチしたのかもしれない。いずれにせよ、がっちゃんが岡本太郎の作品にインスピレーションを受けて、自分なりの太陽を描いたことは驚きだった。

できあがった作品を手にしながら、ココさんがボクにこういった。

「この子、絵の才能ありますよ！　投資しませんか？」

ココさんの一言で、ボクもチャレンジしてみようと思った。

もしこれが他の福祉施設だったら、こうはいかなかっただろう。多分「がっくん、絵が上手ですね～」で終わっていたはずだ。今思えば、自分で福祉を始めたことが「吉」と出たわけだ。

自分たちで高校を運営していたのも、大きなプラスになった。なぜなら、カリキュラムを自分たちで決められるからだ。これがもし普通に特別支援学校に通っていたら、絵ばかり描かせることはできなかっただろう。自前で息子のために高校をつくったことも、「吉」と出た。

同時に、そのタイミングでココさんが、がっちゃんの担当だったというのも大きい。もしココさんがアートに関心を持っていなければ、美術館に行っていなかっただろう。そしてココさんにセンスがなければ、がっちゃんの才能を見抜くことも育てることもできなかった。

これは福祉事業を行う上で、外の業界の視点を持った人材を採用することが大切であることを示している。他の福祉施設が赤いマニキュアのココさんを採用しなかったおかげで、アイムにツキが回ってきたのだ。同時にがっちゃん自身も、環境にも人にも恵まれたことになる。

がっちゃんの絵にかけてみるか⁉

元画廊主の親を持ちながら、ファッションデザイナーになったココさん。その彼女が、がっちゃんの絵には可能性があるという。

ボク自身、10代の頃はマンガ家かイラストレーターか画家になりたいと夢見ていた時期があった。最初の仕事もグラフィックデザインだったので、絵を見るセンスはあるほうだ。そして、マーケティングのプロデュース業もしてきた。

そんな二人が「ここはがっちゃんの絵にかけてみよう」と思った。とはいえ、あまりにも不確定要素が多すぎる。

まず、がっちゃんは本当に絵を描き続けるのだろうか？　これまでも短いサイクルのマイブームを繰り返したので、今回も1か月くらいで飽きる可能性は高かった。

さらにがっちゃんが持つ知的障害のハンディと、持ち前の手の不器用さで絵を描く技術を取得できるのだろうか。自主的に自分で描きたい題材を見つけていけるのだろうか？

ココさんもボクも、疑問だらけだ。

とはいえ、あのがっちゃんが熱心にひとつの作業に集中していることは事実だ。

「どこまで続くかわからないけれど、行けるところまでいってみよう」

そこで、とりあえずいろいろと試してみることにした。ココさんは、いろいろな画材を順番にがっちゃんに与えて観察。そこからいくつかわかってきたことがあった。

がっちゃんは、とてもせっかちで大胆な性格だ。そのため、色鉛筆やクレヨンで少しずつ描くことには、まったく興味を示さなかった。

次に水彩絵の具を試したところ、こちらにはふたつの問題があった。

ひとつは、がっちゃんの自閉症的な特性により、色が混ざるのを嫌がった。がっちゃんにとっては、「色が混ざる＝色が濁る」だった。

もうひとつは、水彩絵の具は乾くのに時間がかかった。がっちゃんは、乾くのを待つことができない。だから、色はますます混ざって濁っていく。そのため、水彩絵の具も早いうちに選択肢から外れた。

油絵の具も試したが、これも彼の性格に合わなかった。油絵の具が乾くには時間がかかるし、ベトつく感じも好きではなかった。そして何よりも、描いた形の輪郭がくっきり出てこない。

その一方、アクリル絵の具は最初から相性がよかった。乾くのも早く、上から重ねることができる。そして太いブラシでサーッと気持ちよく塗れる感触がある。さらに色がビビッドな上に、形の境界線もはっきりと出てくる。

こんな感じで、がっちゃんとココさんの試行錯誤による共同作業が始まったのだ。

3000円の絵の具チューブ

がっちゃんには、アクリル絵の具が一番合っていることがわかった。ただ、がっちゃんのブラシの技術はまだまだ初心者レベルだ。そこで、最初の半年ぐらいはケント用紙を使っていた。

そのため、初期の作品はほとんどB2サイズのケント用紙に描かれている。見返してみると、興味深いことに今の作品のさまざまな原型が、このケント用紙の作品に見られる。

がっちゃんが現在描いているテーマとスタイルは初期の段階ですでに確立されており、ブレていないことが見て取れる。唯一変わったのは、彼のスキルアップしたブラシの技術と表現方法だ。しばらくしてから、ココさんがこういってきた。

「がっちゃん、そろそろキャンバスに移ってもいい頃かと思います。キャンバスを購入してもいいですか?」

ここでボクは「う!」と一瞬冷や汗が出た。ケント用紙は1枚5円の画用紙だ。キャンバスとなると、1枚5000円以上する。

じつはこのとき、試しに1本3000円もするチューブのアクリル絵の具を取り寄せていた。普通はこれを少しずつ使うが、がっちゃんのこだわりで、一度開けたらその場で1本を使い切らないと気が収まらない。もっというと、チューブを空にしたいがために色を塗りつぶしている様子だ。

これには、さすがにココさんも慌てた。

「のりさん、がっちゃんが毎回高いチューブを無駄に絞り出しているのですが、止めましょうか?」

やめさせたいが、自閉症ゆえのこだわり行動と彼の強い意志の遂行力を知っているので、無理な話だ。

「やりたいようにやらせてみよう。彼の気が済むようにさせないと、後から家で荒れるので。多分、納得のいくところまでやりきったら収まるはずだから」

こうして、絵の具とキャンバスのコストが積み上がっていった。しかも、がっちゃんの絵を描くペースはとても早かった。月20枚は描く勢いだったので、試算してみると最初の1年で60万円はかかりそうだ。

この頃は、会社もボク個人もとても貧乏だった。1年前にノーベルを設立したときも、50万円の予算を自前で用意することができなかったくらいだ。

学校の運営はお金がかかる上に、収入がとても少ない。だから、放課後デイの福祉の利益から学校の運営コストを捻出していた。とはいえ、アイムの教室はまだふたつしかなく、自転車操業の状態だ。

「画材発注に関しては少し考えさせてください」

冷静に60万という数字について、一晩考えた。でも、ここは経営者として腹を括らないといけないと思った。というのもアイムとしては、生徒に可能性の芽が出てきたらそこにお金を投じてきたからだ。ITとゲームが得意な生徒のために、高価なゲームPCやVR機器を購入してきた。

当時のアイムの経営状態から考えると、ボクは清水の舞台から飛び降りる心境で60万円分の画材の発注にゴーをかけた。あとは、がっちゃんが途中で絵を放り投げないことを願うだけだった……。

初めての画集

ＧＡＫＵの創作活動が始まって半年ぐらい経った頃。

この頃は、まだＢ２サイズのケント用紙に描かれた作品が多かった。ちょうどキャンバスの作品に試験的に移行していった時期だ。まだまだ初歩的なレベルとはいえ、ユニークな作品がそれなりに溜まってきた。

ボクは、ＧＡＫＵの作品をデジタルでアーカイブ（記録）する必要があると考え始めていた。将来ビッグ・アーティストになったとき、過去に遡って原画を整理して記録していくのは、大変なことだ。だったら、最初の段階からきちんとカメラで撮影してデジタルデータにしておくにこしたことはない。

ちょうどそんなときに、ピカソのスタッフとして、吉野さんが入社した。スタッフから、彼女が趣味で本格的な撮影をしているという話を聞いた。

「吉野さん、自分のスタジオを持ってみませんか？　機材はこっちで揃えますから」

「そんなことをしていただけるのですか？」

「小さなスタジオを用意するので、うちの生徒の作品を撮影してください。その代わり、あとは好きに使っていただいて大丈夫です」

それから、吉野さんは照明の位置や撮影サイズなどを試行錯誤していった。彼女のご主人がプロのカメラマンだったので、彼にも協力してもらって撮影のクオリティを上げていった。画像を見て、これだったら将来、何らかのコラボなどの話がきても、作品のデジタル画像を提供できそうだと思った。

ここで次の課題が出てきた。もし企業とコラボをするのであれば、まずGAKUにブランド力がないと始まらない。ファッションで「ブランド価値」を扱ってきたココさんも、同じことを感じていた。

「今後、何らかの営業活動をするにしても、アーティストGAKUのブランド価値を上げる必要があります」

GAKU本人と作品両方のブランド価値を上げていく必要があるものの、言葉を話せない無名の自閉症の子が絵を描き始めたばかりにすぎない。とはいえ、ボクもココさんも短気な性格なので、時間をかけて気長に待つつもりはない。

これまでマーケティングをやってきたボクとしては、「短期間でそれをどのように実践するか」が命題となった。

そのときに、ボクがグラフィック・デザイナーだった頃、著名なアーティストの画集を作ったことを思い出した。

「とりあえず、画集を出すのがいいんじゃない」

「なるほど、それはいいかも！」

「普通、アーティストが有名になってから本を出すじゃない。逆に最初に本を出してしまえば、いきなりGAKUブランドに価値を上げられるかもよ」

「でも、出版社から本を出してもらうのは、有名アーティストじゃないと無理でしょ」

「うん、だから自費出版でいいかと。であれば誰の許可もいらないから。もちろん書店には流通しないけれど、目的は営業のために関係者に配ることだから」

「なるほど！　自分たちでやったほうが、話が早いか」

原画の撮影はすでに吉野さんにしてもらっていたので、印刷のための準備はすぐにできた。かくしてGAKUの初の画集『byGAKU ART BOOK Vol.1』ができあがった。

「なんかすでに活躍しているアーティストみたい！」

ココさんも画集を手に取って、うれしそうだった。そしてまわりの人に画集を配ってみたところ、反応もよかった。

「スゴイじゃないですか！　もう画集が出ているのですか！」

「そこらへんの有名アーティストと同じように本を並べることができますね！」

本を手に取る側は、それが商業出版なのか自費出版なのかは、気にしていない。画集という形になったものを手に取ることで、ＧＡＫＵの作品のブランド価値を体感することができる。

何よりもこの画集は、がっちゃん本人に想像以上のポジティブな効果作用があった。がっちゃんは得意げに、画集をアインシュタインの三枝先生に見せにいったのだ。

「がっちゃんが、ドヤ顔で画集を見せてくれましたよ！（笑）」

実はボクもココさんも、がっちゃん本人がどこまで自分の創作活動のことを意識しているのか、わからなかった。でも、がっちゃんは作品を通じてほめられるのが、ともうれしそうだった。

「絵が自分の成果だと、ちゃんとわかっているんだ」

これまでは、教室でもずっと走り回ってイタズラをしては注意されることしかなかった。それが、初めてほめてもらえた。これは、がっちゃんが自分自身で摑み取った成果だ。

このときから、がっちゃんは創作活動により打ち込んでいくようになった。

Gaku, museum!

がっちゃんが絵を描き始めて9か月経った頃、ちょうど1冊目の画集を出した頃だ。突然彼が「ミュージアム」というキーワードを発し始めた。

“Gaku, museum!”

「ガク、絵、かざるーっ！」

「なになに、それは自分の展示会をしたいということ!?」

ボクとココさんはどうしたものかと考えて、いろいろと調べ始めた。しかし、しっくりくる会場がなかった。

一度いい出したら止まらないがっちゃん。自閉症のこだわり行動もあるので、このフレーズを朝から夕方まで何十回も繰り返す。しかもこれが毎日、毎週、毎月と続くのだ。

さすがにココさんも落ち着かずで、リサーチを続けた。その結果、世田谷美術館がいいのでは、という話になった。そこそこ広い面積を安く借りることができそうなのは、ここしかなかったのだ。とはいえ、借りることができるのは区民ギャラリースペースで、その枠は年に2回の抽選で決まっているとのことだった。

当然ながら、問い合わせても枠は埋まっていたので、どうしたものかと思案していた。

年があけて2019年になった。

がっちゃんは相変わらず、日々“Gaku, museum!”と連呼するが、打開策が見つからなかった。春にさしかかっても、がっちゃんの「ガク、絵、かざるーっ！」の連呼は続いていた。

そんながっちゃんにせっつかれる感じで、3月の半ばにココさんはダメもとで美術館に再度連絡をした。すると……。

「のりさん、超ラッキーです！　5月のゴールデンウィークにキャンセルが入ったので、1区画借りれますって！」

「おおー!!　それはすごい！」

しかもそのゴールデンウィークの週が、がっちゃんの誕生日の5月1日と重なっている。それに加えて、5月から「令和元年」となる。

「誕生日と令和元年とゴールデンウィークの3つが重なるなんてすごい！　これは絶対にやれということだ！」

ここでも、引きの強いがっちゃんである。彼のことだから何らかの電波をキャッチして、"Gaku, museum!"を連呼してせっついてきたのだろう。

展示会まで1か月半くらいしか時間がないので、すぐさま準備に入った。さっそくココさんとがっちゃんと一緒に、会場に足を運んでみることにした。

ここでもちょっとしたシンクロがあった。実はそれより1年前のこと、ココさんの長年の友達である健太さんというダンサーがうちの教室へパフォーマンスに来てくれていた。偶然にも、展示会場側の担当者が健太さんと友達だったのだ。

キャンセルが入ったという展示スペースは160平方メートルを4つに区切った区画のひとつだった。天井も高く、壁の面積も大きかった。このときは、40平方メートルのスペースが広く感じた。

他のスペースも見たところ、個展ではなく集合展示が多かった。果たして、がっちゃん一人の作品で成立するのだろうか？

そんなことをココさんと話し合っていたら、美術館側から予期せぬ質問をされた。

「会場の料金ですが、もし絵を販売されるなら2倍になりますが、どちらにしますか？」

「絵を売れるんだ……。どうする？」

ボクとココさんは顔を見合わせた。料金自体は安いので2倍といっても数万円の違いしかない。ただその時点で、がっちゃんの絵を売るという発想がまだなかった。

「売れるとは思わないけれど、一応売れるコースにしておいたら。ハワイからおじいちゃんとおばあちゃんが観にくるといっているから、御愛想で買ってくれればいいんじゃない」

念のため、絵を売るコースにしようという話になった。

それから会社に戻り、初めての展示をどうするかという話し合いになった。

がっちゃんが最初の1年に描いた作品数は、150点近くある。ここから60点を選ぶことにした。そして壁に縦に3列で絵を並べれば、壁いっぱい埋められそうだ。

とはいえ初めてのことなので、実際に壁に設置してみないと具体的なイメージがわかない。

「考えてもしょうがないから、多めに作品を持っていこう。そこで適当に合わせながらやってみよう」

ということで、会場にはかなり余分に絵を運ぶことにした。

とうとう5月に入った。アイムの若手スタッフに声をかけて、運搬と設置を手伝ってもらった。初めての展示だったので、試行錯誤しながら壁に絵を設置していった。

そして完成した会場を見ながら、ココさんが腕を組んでこういった。

「本物のアーティストの、ちゃんとした展示みたいね」

がっちゃんの絵が売れました!

２０１9年5月1日、がっちゃん17歳の誕生日だ。ゴールデンウィークでもあり、そして元号が平成から令和に切り替わる特別な日でもあった。がっちゃんの初めての個展のレセプションは、この日になった。

「がっちゃんの絵を、誰か買ってくれるかな～」

レセプションが始まるのは午後なので、お客様もまだ来ていなかった。そのときボクは、外でスタッフとお茶を飲んでいた。すると、ココさんが興奮しながら小走りでやってきた。

「がっちゃんの絵が売れました!」

え!? 売れた?? レセプション前に? ボクはきょとんとしていた。というのも、お客様もまだ来ていないはずだからだ。

展示スペースに駆けつけると、中村優子さんがニコニコして立っていた。中村さんはボクが所属している出版エージェントの方だ。彼女が選んだのは、紫色の四角が並ぶケント用紙の作品だった。

「がっちゃんの絵が売り切れると思って、早く来ちゃいました！」

「そうなんですか⁉　そんな売り切れるなんてことはないですよ」

ちなみにこの絵は、のちにレスポートサックのバッグにも採用されることになった。

レセプション前に絵が売れて、初の展示会の滑り出しは好調だった。お昼になるとお客様が大勢やってきた。知り合いにはたくさん声をかけていたが、噂が口コミで広がって予想以上に大勢の人が来てくれた。その上、がっちゃんを知らなかった人たちも絵を購入してくれたのだ。

「また、絵が売れました！」

「えー！」

そしてしばらくするとまた「絵が売れました！」コールが。

「え、また⁉」

ココさんとボクは、その日何度も驚いた。もちろんスタッフも興奮状態だ。なんだかスゴイことが起きている！

結果的に、５日間の展示で10枚の絵が売れた。金額でいうと１５０万円だったので、1点につき平均15万円の値段がついたことになる。まったく無名の新人アーティストにしては、上出来である。

ギャラリー関係者からは、「新人は1号サイズで1万円と決まっているので、３万円しか値段がつかないですよ」といわれていた。ボクはこの基準に疑問を持っていたので、他人任せにせずに自分たちでやるのが一番だと思った。

がっちゃんも多くのお客様からほめてもらって、気分がよさそうだった。しかもレセプションでは、ケーキから好物の柿の種まで、たくさんのプレゼントをもらって、がっちゃんはご機嫌だった。

（ほ、よかった……。画材の60万円がこれで回収できた）

内心ボクは安堵した。経営の視点から見ても、やってきたことは無駄ではなかったのだ。がっちゃんに賭けた投資は、またしても「吉」と出た。

同時に、ボクもココさんも、「これはＧＡＫＵの活動に本腰を入れないといけない！」と思った瞬間だった。

アーティストGAKUとしての自覚

展示会の最後の日は、スタッフで打ち上げをした。いつもなら夕方になると家に帰りたいというがっちゃんだけど、この日は自ら"Gaku, dinner!"といった。

今日は自分にとって特別な日だ。レストランでがっちゃんはテーブルの真ん中の席に座って、「今日の主人公はボクだぜ」と満足げな表情をしていた。普段レストランでは食べ物を瞬時に片付けると、外へダッシュしてしまう。でもこのときは、最初から最後までずっと席に座っていた。

がっちゃんはご機嫌で、スタッフに何度も同じ言葉を投げかけていた。それだけだが、ものすごく楽しそうに愛想よく語る。だからみんなも「がっちゃんおもしろーい！」と楽しくなってしまう。

このときの楽しそうながっちゃんを見ていて、息子のために福祉事業をやっていてよかったと思った。もし福祉事業を始めていなければ、がっちゃんの創作活動につなげることはできなかっただろう。

ひとつのステージがどこのステージにつながるかは、誰にもわからない。大切なのは、ステップを登り続けることだ。そして次のステップは、新たに始まったアート活動だ。


世田谷美術館での初の展示会は、がっちゃんに大きな変化をもたらした。

それまでは、走り回って叱られるだけの人生だった。ところがこの展示会で、初めて多くの人から自分が認められた。これはがっちゃんにとって大きな成功体験になり、大きな自信にもなった。


「がっちゃんのお仕事は？」

"Paint!"

すでに、将来に対する不安はなくなっていた。絵という具体的な目標が明確になり、自分の生き方に軸が入ったのだ。

それまでは、がっちゃんの人生すべての時間が手持ち無沙汰のような感覚だった。

それが初めて、時間の中にパッションとミッションが入ってきた。

この頃からボクもココさんも、がっちゃんを「GAKU」と呼ぶようになった。がっちゃんも展示会を境に、自分がアーティストGAKUであるという自覚を持つようになった。

初の展示会が終わったあとは、翌日から、アーティストGAKUとして絵を描き始めた。興味深いことに、毎回何か大きなイベントがあったあとに、GAKUの絵は進化する。彼なりにいろいろと物事を観察して、自分の表現に取り入れているのがわかる。

それまでのがっちゃんは、自分の内面の世界を外に伝えることができなかった。だから、いつもフラストレーションを抱えていた。でも自己表現としての絵を描くことで、まわりの人からのフィードバックを得ることができるようになった。そのとき、がっちゃんの人生に対するスタンスが大きく変わったのだ。

——アーティストGAKUの誕生である。

CHAPTER

4

アート活動を本格的にすすめる

「ニューヨーク！」と突然いい始める

　ＧＡＫＵが絵を描き始めて1年が経ち２０１９年に入った頃、ＧＡＫＵが突然、不思議なことをいい始めた。

"Gaku, museum! New York!"

　どの自閉症の子も、同じ言葉を何回も繰り返す習性がある。わかってはいるが、ＧＡＫＵの繰り返しは半端でなく、こちらがノイローゼになりそうになる。毎日朝からずっと壊れたアラームみたいに"New York! New York!"と連呼するのだ。

　でも、ＧＡＫＵはニューヨークに行ったことがない。だから、なぜ突然そういい出したのか不思議だった。ココさんには、何らかの啓示に聞こえたようだ。

「これは、ニューヨークで展示したいってことよ。もともと彼の作品は海外のほうが向いているから、ニューヨークは調べる価値があるかもね」

「ニューヨークかあ……」

　ボクにとっては懐かしい場所だ。というのも、19歳のときから4年間、ブルックリンで過ごしたことがあったからだ。

世田谷美術館での展示がうまくいったこともあって、ご褒美にGAKUをニューヨークに連れていくことにした。ロスから日本に戻ってきて以来、アメリカへ行くのは4年ぶりだ。この間にアイムを立ち上げ、放課後デイ、グループホーム、就労支援を展開するのに忙しかったので、久しぶりの旅行だった。

今回の旅行の目的は、GAKUの展示会場探しとニューヨークにあるギャラリーの視察だ。将来GAKUの絵が、この界隈で取引される日がくるかもしれない。ずいぶんと気の早い話だが、この業界の空気感だけは感じておきたかった。

何も知らないボクは適当に、マンハッタンにあるいくつかのギャラリーを大小問わず渡り歩いた。そして担当者をつかまえて、いろいろと質問をした。どうやったら作品を扱ってもらうことができるのか、アーティストの選定基準は何なのか――。

GAKUの個展の開催場所を探していく中で、小さなスペースでもいいから、単体で貸し切れる箱が理想的だと考えた。そのほうが、単独の個展としてGAKUの世界観を伝えられるからだ。

そのときまではSOHOにある展示スペースを回っていたが、格式ばった世界観がGAKUには合わないと感じていた。そこで川を渡ったブルックリンのDUMBOエリアに足を伸ばしてみることにした。

そのギャラリーＵＳＡＧＩ ＮＹは、ＤＵＭＢＯエリアのど真ん中にあった。中に入ると、ギャラリーと、その奥にはカフェが併設されていた。展示スペースは１４０平方メートルぐらいあり、ちょうどよいサイズだ。ボクはさっそくギャラリーの人に聞いてみた。

「個展をするために、スペースを丸ごと借りることはできますか？」

「担当の者に連絡を入れれば、詳細を教えてくれますよ」

そういって、不在だったマネージャーの名刺をくれた。

ブルックリンは、ボクが住んでいた20年前はかなり危険なエリアだった。しかし今では、新しく再開発されたエリアになっていた。街中に、若手アーティストの自由で新しい空気感が漂っていた。ここだったら、ＧＡＫＵの展示も合うだろうとココさんと話し合った。

感慨深かったのが、のちにＧＡＫＵの展示会場となるＵＳＡＧＩが、ボクが19歳のときに住んでいた建物の隣のブロックにあったこと。そして今ＧＡＫＵが同じ19歳で、同じブルックリンで展示会をやろうとしている。なんとも不思議な巡り合わせだ。

ニューヨークでの個展

日本に戻ってから、USAGIの担当者に連絡を入れたところ、担当の栗山ナオコさんから詳細な情報が送られてきた。それをもとに会場費と運送費、旅費の予算を計算したところ、150万円という数字が出てきた。

この予算を捻出するために、初めてクラウドファンディング（以下、クラファン）にチャレンジすることにした。そして、支援してくれた方々のおかげで220万円が調達でき、ニューヨークへ飛び立つこととなった。

2020年3月、ボクたちはニューヨークの地に降り立った。ちょうどコロナ騒動が日本で始まっていたが、ニューヨークはまだ対岸の火事という感じであった。

翌日、展示の準備のためにブルックリンのDUMBOに入ったところ、衝撃を受けた。

半年前の夏に遊びに来たときは、USAGIのまわりは静かで平和な街並みだった。ところが到着すると、会場エリア一帯が大きな道路工事の真っ只中にあった。会場の目の前の道だけでなく、ブロック全体が大きなトラックや配管で覆われていた。

「これじゃあ、さすがに人は来れないね……」

会場の前の慌ただしい工事現場を見て、ココさんもボクも唖然としてしまった。作品の設置は不安の中で進んでいった。

会場はかなり広かったので、日本から展示用の原画を60枚持ってきた。そのうち4枚は160㎝×160㎝のS100号サイズだ。会場の入り口から外に見えるように、赤いクマの絵で、特大サイズのタペストリー（垂れ幕）も用意した。


レセプション当日。GAKUも朝からずっと落ち着かない様子だ。

「おきゃくさん、くる〜」

何度もそういいながら窓の外をのぞき込んだりして、ずっとそわそわしていた。

しかし幸いなことに、ボクたちの心配をよそに大勢の人が来てくれた。友達の紹介で知り合ったチサトさん、ミツさん、ジョナサンたちが彼らの友達を連れてきてくれたのだ。

ギャラリーにたくさんの人がやってきたのを見て、GAKUもうれしそうな表情になった。「ここから自分の出番だぞ！」とばかりに挨拶しながら、記念撮影に応じていった。朝から時差の中ずっと作業をしていたのでみんな疲れていたが、GAKUは最後まで笑顔でお客様の接待を頑張っていた。

「がっちゃん、ちゃんと自分の仕事がわかっているんだね」

ココさんがずっと働いているGAKUを見て、感心していた。ボクはといえば、無事にクラファンの約束を果たせて安堵した。

最終的にこの展示には、1週間で3000人ぐらいの訪問者があった。

日本で展示をすると、知り合いでなければ無言で絵を見て去ってしまう。それに対してアメリカ人は、フレンドリーでオープンだ。気に入った絵があるとじっと見入り、その場でいろいろな感想や質問をくれる。

ギャラリーではお客様がGAKU本人に会うと、画集を買ってサインをもらって帰ってくれた。みんな、ものすごくポジティブな感想をくれた。

このときの来場者の笑顔を見て「アメリカでもGAKUの絵は通用する」と確信した。大変な思いをしてニューヨーク個展にたどりついたが、収穫はあった。

LeSportsac SOHO店舗での展示

今回の旅行には、展示のほかにもうひとつ目的があった。それはバッグのブランド、レスポートサックを訪問することだった。

実は遡ること半年前、アイムの顧問でもある杉本志乃（すぎもとしの）さんがアトリエにやってきて、彼女が主催する表参道のGyreでのアウトサイダー展にＧＡＫＵの絵を選んでくださった。その展示に、ＴＧＣ時代からお世話になっていた伊藤忠商事の福垣（ふくがき）さんと狩野（かのう）さんが来てくださった上、ＧＡＫＵの絵をとても気に入ってくださった。その後、彼らが関わっていたレスポートサックのニューヨークの担当者を紹介してくださったのだ。

個展会場の準備のあと、レスポートサックの担当者に連絡を入れたところ、ちょうどそのとき彼らは、マンハッタンのＳＯＨＯに期間限定で大きなポップアップストアを出していた。

店舗に行くと、ニューヨーク代表のトーマス・ベッカーさんと広報や商品企画の担当者も出迎えてくれた。日本から持ってきたＧＡＫＵの画集を渡すと「これはかわいい！」と盛り上がった。そして、担当者から思いがけない提案が出てきた。

「このポップアップストアでGAKUの作品と商品を展示したら、楽しくなると思うの。それは可能かしら？」

その場で、USAGIでの1週間の個展が終わり次第、作品をレスポートサックに移動する話がまとまった。


ポップアップストアは、レスポートサックのバッグとGAKUの作品がいい感じに融合した空間になっていた。トムさんもGAKUの作品をとても気に入ってくれ、再度お店に来てくれていた。すると、彼からさらに驚くオファーをされた。

「GAKUのアート作品とうちのブランド商品とのコラボは、いかがですか。彼の作品はとてもハッピーなメッセージを発信しているので、合うと思います。彼が自閉症だからということではなく、純粋に彼の作品を気に入っているので、コラボできたらうれしいです」

障害者という下駄を履かなくても、GAKUの作品が商品として成立することがうれしかった。GAKUの絵の力そのもので、物事が大きく動き出そうとしている。

これで、ニューヨーク個展の実現を応援してくれたクラファンの支援者にもグッドニュースを伝えることができる。3週間のニューヨークで大きな収穫を得て、日本に戻ることができた。

ちなみに、日本に帰国した直後にニューヨークはコロナでロックダウンとなり、日本側も海外からの入国ができなくなる事態になる。最後までギリギリの旅行となった。

次から次へと舞い込む取材

ニューヨークでの滞在中、弟の紹介でフジテレビニューヨーク支局の後藤さんとランチをすることになった。

「自閉症の19歳が、ニューヨークで個展を実現させるとはすごいですね。まだ正式にお願いできるかわからないのですが、取材させていただくことは可能ですか。うちのミニ番組になるかもですが、ご興味ありますか」

それが「フューチャーランナーズ」だった。わずか2分間だが、フジテレビがSDGsに力を入れていることを紹介する番組だ。このときの取材の様子は、ニューヨークから帰国して2か月後の5月20日に放送された。

２０２０年、ＧＡＫＵへの取材はフジテレビを皮切りに続いた。オンラインメディアでは「たまひよ」「FNN PRIME」「Excite! NEWS」「Yahoo! ニュース」「朝日新聞 Digital」などに記事が掲載された。そして9月には神奈川新聞（9月27日）のカラーの一面記事として「絵に出会い才能開花」という見出しでＧＡＫＵが大きく取り上げられた。

わずか1年前にはローカルのフリーペーパー「タウンニュース」の記事しかなかったことを考えると、実に大きな飛躍となる1年となった。これもニューヨークでの個展に踏み切ったことが大きく寄与したといえる。

クラファンを通じてＧＡＫＵを支援してくださった方々には本当に感謝している。一人ひとりの応援の気持ちが、一人の自閉症の青年の人生を、確実に変えてくれたのだ。

話が前後するが、ニューヨークでの取材のとき、突然のコロナ騒動で撮影が急遽中断されてしまった。そこで日本での追加撮影が必要だという話になり、フジテレビからディレクターの八木さんがやってきた。すると彼女が、フジテレビのＳＤＧｓ番組担当である木幡（こばた）さんを紹介してくれた。

木幡さんはフジテレビのCSR（企業の社会的責任）活動を担当されていた。八木さんからGAKUの取材話を聞き、興味を持ってくださったのだ。そしてアトリエにまでGAKUの作品を見にきてくださった。

「フジテレビでCSRリポートを毎年出しているのですが、ぜひGAKUさんの作品を来年の表紙にいかがですか」

木幡さんから素敵な提案をいただき、GAKUの絵が「フジテレビCSR2021」のカバーを飾ることになった。

2021年3月3日の「フューチャーランナーズ」では、ボク自身がフィーチャーされた。このときは、アイムの福祉活動の現場にカメラが入った。

その後、「EXITの未来を本気で考える～フューチャーランナーズSP」（2021年3月20日）でも、再度GAKUを取り上げてもらった。このときにMCを務めたEXITが立つステージの頭上には、GAKUの作品が中央に飾られていた。

さらに2022年の夏には、お台場での「オダイバ冒険アイランド2022」でGAKUの展示をすることになった。

こんなふうに、ニューヨークでの個展をきっかけに話がのちのちにまで続くことになる。

これはまったくの偶然だが、ちょうどＧＡＫＵの「フューチャーランナーズ」がオンエアされた同日の朝に神奈川テレビの「イイコト！」でもＧＡＫＵの取材が放送された。このように、ＧＡＫＵの案件にはシンクロが起きやすい。

「イイコト！」では、スタジオ出演もすることになった。初めてのことだったので、こちらとしては心配だった。しかし、そんな心配をよそにＧＡＫＵはおとなしく座っていた。しかも、話しかけられるときちんと答えることができていたので、大きな成長だ。「環境が人を育てる」というが、まさにその通りだ。

2回目の世田谷美術館での展示

メディアで取り上げられることが増えた２０２０年だが、この年の7月に、世田谷美術館の区民ギャラリースペースで2回目の個展を行った。じつはこのときに、新しい試みを行っている。

世田谷美術館の展示スペースは１６０平方メートルの広さだが、これはパーティションによって４つのスペースに区分けされている。ＧＡＫＵの最初の展示会となる前回の個展では、この40平方メートルの1区画しか使っていなかった。

最初は広く見えた40平方メートルだが、作品が300点を超えるようになった今、狭すぎることは明白だった。なんとか4区画をまとめて借りたかったが、それはほぼ不可能なように思えた。なぜなら会場の利用は年に2回しかない抽選で決められており、4区画を全部押さえるのは至難の技だったからだ。

前回は、この40平方メートルの1区画にたまたまキャンセルが入り、急遽実施することができた。でもさすがに、4区画が揃ってキャンセルになるようなことはなさそうだ。

そんなところへ、また願ってもないことが起きた。突然、展示場の担当者から電話がかかってきたのだ。なんと、コロナのためにすべての展示がキャンセルとなり、7月末に4区画がすべて空いているのだという。

ちょうど、1か月後の話だ。多分その短期間で160平方メートル分の展示の準備に取りかかれるところは少なく、うちに連絡がきたのだろう。

コロナ禍で会場を借りたいという人は、あまりいなかった時期だ。とはいえ、そのときは世間の不安とは裏腹に、感染者数はそれほど多くなかった。ボクはまたとないチャンスだと思い、すぐに会場を押さえた。

今回は前の4倍の面積だったので、160平方メートルの壁に150点もの作品を展示することにした。初めての大きな会場だったので、絵を選ぶだけでなく、どのように設置するかも綿密に計画を立てる必要があった。そこで、工作が得意だったデザイン担当のナカジに、展示スペースのジオラマ模型のようなものを作ってもらった。

壁とパーティションは、磁石がくっつくホワイトシートから作っていった。そして、GAKUの絵を小さくプリントしてマグネット・シートの上に貼って切り抜く。そこからココさんが、絵の磁石をジオラマの壁に貼りつける。それをアイフォーンのカメラの広角レンズで撮影すると、本物の展示会場のように見える。

会場での設置の際には、アイムの若いスタッフを集めて作業していった。福祉事業をしていることにより、常にサポートメンバーがたくさんいるのは、とても心強い。

GAKUも、大きな展示会の前には特別なスイッチが入る。このときも、作品の選定の最終の詰めをしていた。そのときは作品内では中くらいのサイズであるF20号(72・7㎝× 60・6㎝)のものが多く、なんとなくメリハリが足りなかった。ボクは絵のマグネットをいじりながらボヤいた。

「やっぱりここところにS100の大きな絵がほしいよね。でも1週間で2枚は無理か……」

このサイズの絵は保管場所も限られていたため、あまり描かせていなかったのだ。

「のりさん、大丈夫です。ＧＡＫＵならやれます。展示会だとわかっているので、本人やる気、ありますよ」

ココさんはさっそくＧＡＫＵに、大きいキャンバスに絵を描いてみるよう話した。するとＧＡＫＵはそれから1週間、ずっと作品づくりに没頭した。そして展示設置の前日までにＳ１００号を2枚と、Ｓ40号（１００㎝×１００㎝）を4枚描き上げた！

ココさんも大変満足の様子だ。

「やるねー、ガクト画伯。ちゃんと押さえるべきところ、わかってるね」

このときの個展はコロナのため、レセプションをすることはできなかった。それでも大勢のお客様が来てくれた。

展示期間中、ＧＡＫＵはなるべく多く展示会場に顔を出したがる。お客様に案内ハガキを渡しにいき、撮影要望にも笑顔で応える。少し疲れると誰もいないところに行って気持ちをリセットして、また戻ってくる。

展示会も終わり、スタッフと会場の片づけをしていると、ＧＡＫＵがみんなと食事に行きたいという。彼なりに、打ち上げをするものだとわかっているのだ。

「がっちゃん、おめでとうー！」

スタッフと食事に行ったGAKUは、とても楽しそうだった。前年の展示に続き、2回目の打ち上げディナーだ。GAKUは「今夜の主人公はオレだぜ」みたいな顔をしていた。

スタッフのみんなからそれぞれ言葉をかけてもらいながら、GAKUは楽しそうに返していた。いっていることは誰も理解できない言葉の羅列だけれど、気持ちはお互い通じているので盛り上がる。GAKUがこんな感じで人と交流をできるようになったのも、絵を描き始めてからだ。

GAKUの表情には、明らかに達成感が見えた。

ボクはGAKUとスタッフを見ながら、つくづくアイムを始めてよかったと思った。アイムはよい仲間に恵まれている。だからこそ、施設に通っている生徒たちも楽しく過ごせている。そしてそれを、GAKU自身が一番体現しているのだ。

展示で16年ぶりに東戸塚を訪ねる

展示会が終わったあとに、ヘラルボニーの松田崇弥さんがアトリエにやってきた。ヘラルボニーとはアウトサイダー・アート（障害者が描く絵）を軸に、企業のSDGs活動に力を入れていて、自閉症のお兄さんを持つ、双子の兄弟が立ち上げた会社だ。松田さんが持ってきてくれた話は、工事中の囲い壁を使った展示企画だった。囲い壁にGAKUの絵をプリントし、展示が終わったらそのプリントキャンバスを切り取ってトートバッグにアップサイクル（創造的再利用）する企画だ。

「西武東戸塚S.C.（以下、SEIBU）で、がっちゃんの絵を展示しませんか？」

（え、あの懐かしいオーロラモールで!?）

東戸塚のSEIBUといえば、がっちゃんが3歳のときまでよく散歩していたところだ。それから16年後に、まさかそこで彼の絵を展示する日がくるとは想像していなかった。改めてGAKUが引っ張ってくるシンクロはとても強いなと思わされた。

この案件の話が出る前にも、不思議な話があった。

ＧＡＫＵが東戸塚でよく散歩していたのは3歳のときまでだ。その後ロスを経て、川崎に引っ越した。そして16歳になったとき、突然ＧＡＫＵが東戸塚の家をグーグルマップで探せとさっちゃんにせっついてきた。それから彼はパソコン上のマップで、東戸塚駅のモールまで進み始めた。

「がっちゃんが道順まで覚えているの！　3歳のときにしか通っていないのに」

さっちゃんが驚いて、そう報告してきた。さらに驚くことにＧＡＫＵはグーグルマップ上の途中の道で、ある人の名前を連呼した。そこは、彼が赤ちゃんだったときに遊びにいった、ある家族の家の場所だった。

幼少期はまったく言葉を発しなかったが、実はいろいろなことを記憶していたのだと驚かされた。自閉症の子は物事を理解・認識していないように見られがちだが、実はその反対である。しっかりと情報はインプットされているのだ。

ＳＥＩＢＵでの展示は、２０２０年10月だった。がっちゃんはアーティストＧＡＫＵとして自分の作品を引っ下げて、16年ぶりに訪問することになる。

ＧＡＫＵの作品が展示してあったのは、駅から直結しているＳＥＩＢＵの4階だった。まさに、彼が小さいときにいつも散策していたところだ。さっちゃんとボクにとっても、懐かしい場所だ。あの小さかったがっちゃんが、今ではアーティストGAKUとして活躍している。

SEIBUの4階に着くと、店内の中央に工事中のエリアがあり、壁で囲まれていた。そこには「Social Art Museum」というサインがあり、その横にGAKUの作品が特大サイズにプリントされ、6点陳列されていた。GAKUはその前を満足そうに、何度も行ったり来たりしていた。

思い返せば、がっちゃんが3歳のときはいつも後ろを振り返ることなく、モール内を一人で先に走っていた。これは19歳になっても同じだ。モールに着くなり、一人で走っていってしまう。

ただほんのちょっと違うのは「走らないよー」と後ろから注意をすると、小走りになることだ。名前を呼ぶと、一瞬だけ振り返ってくれる。小さな変化だと思われるかもしれないが、わが家にとっては大きな変化だ。

現代美術家のサイトウマコトさん

有楽町マルイでの展示は、ちょっとしたきっかけで話が始まった。

ココさんと「都内のデパートかどこかで個展やってみたいね」と話していた。ちょうどそのときに、障害者の母親としていろいろな活動をしている加藤さくらさんに用事があったので、久しぶりに連絡をしてみた。すると、こちらが話を切り出す前に向こうからメッセンジャーで返信が来た。

「ちょうどよかったわ！　今ちょうどマルイの方からSDGs関係で会場を使ってくれる人がいないかって相談があったところなの！　ガクちゃん興味ある？」

というわけで、その日にすぐマルイの担当である須藤さんに会いに行き、会場を確認した。

聞くとコロナで会場が空いているので、ソーシャルなテーマとして活用していただければとのこと。ただし営利目的ではないこと、2週間後に展示の準備をできることが条件であった。うちは個展が開ければよいし、フットワークも軽い。

展示は2020年の11月24日から2週間の日程で決定した。GAKUも初めての場所での個展で、張り切っている様子だった。いつもと違うところでの展示は、GAKUにとってモチベーションとなっている。

この展示のときにアイムの顧問である倉島紀子さんが、突然会場にお客様を連れてきてくれた。

「紹介するわ。現代美術家のサイトウマコトさんよ」

え、サイトウマコト!? まさかこの場面でこの名を聞くことになるとは!!

というのも、90年代後半にハワイでデザインの仕事をしていたとき、憧れをもってめくっていたのがＪＡＧＤＡ（日本のデザイナー協会）の本だ。その中にはたくさんの著名なデザイナーの作品が掲載されていた。中でも特に強烈でかっこいい作品が載っていた。それが、サイトウマコトさんのデザインした広告ポスターだった。

ハワイという田舎の片隅でデザイナーをやっていたボクからすると、サイトウマコトさんはデザインの巨匠だった。今でいうと佐藤可士和さんのような存在だ。だから、彼の名前は作品のイメージと共にずっと覚えていた。そんな憧れの人に、こんな場面で会えることになるとは……。

サイトウマコトさんは現在、現代美術家として活躍していらっしゃる。1枚の絵が数千万円単位で取引されるほどの巨匠だ。そんな彼が、ＧＡＫＵの作品を見にきてくれたのだ。

「いいなー、彼の作品には人に見せようという計算が入っていない。色も表現も自由で、忖度が入っていない」

そういうと、サイトウマコトさんはGAKUの作品に見入っていた。特に、スカーフのモチーフにもなった「Voyage」というS100号の作品を、とても気に入ってくださった。

「GAKUさんの作品には、心が洗われるなー。ピュアなシャワーを浴びた感じがします。今日は本当に来てよかったです」

サイトウマコトさんの言葉は、大いにボクとココさんを勇気づけるものだった。彼のような先鋭アーティストがそういってくれるのなら、本当に可能性があるのかもしれない！

この一件で、自分がハワイでデザイナーだったときから20年経って一巡したような感覚がした。クリエイティブとはほど遠い仕事をしているボクが、ここにきてずっと憧れだったサイトウマコトさんに会えたのだ。もしGAKUが絵を描いていなければ、このような出会いもなかっただろう。

GAKUは毎回、ボクに不思議な出会いをもたらしてくれる。

2020年は、有楽町マルイの展示で幕を閉じた。そして翌年最初のGAKUの仕事は新宿マルイで、Luylとのコラボ展示販売となった。

このとき、店舗内にＧＡＫＵの目玉商品が披露された。それは「mamapod」という移動型の母乳室だ。母乳室の外側はＧＡＫＵの絵でラッピングされていた。これは株式会社プロジェクト・マネジメント・アソシエイツが手がける商品で、代表の龍子彰さんから指名された。

「ＧＡＫＵさんの絵は明るくてハッピーな感じになれるので、小さなお子さんの授乳室にぴったりだと思います」

このＧＡＫＵのmamapodは、後日マルイシティ横浜に設置されることとなった。現在も8階にあるポケモンセンターヨコハマの横のエスカレーター付近にあるので、ご覧になった方もいるかもしれない。

このときもまったくの偶然で、同じタイミングで別のマルイ案件が持ち込まれた。4月に上野マルイの1階フロアに飲食スペースのリノベーションがあるので、そこの壁全面にＧＡＫＵの作品タイルを設置したいという話だ。

今でも1階のスイーツのお店に行くと、ＧＡＫＵの絵がタイルにプリントされており、とてもカラフルな壁に仕上がっている。

こんな感じで、図らずとも4か所の違うマルイ店舗でＧＡＫＵの案件が連続して動くこととなった。GAKUの案件には、本当によくシンクロが働く。

TBSのキャンペーンとBS-TBSの取材

有楽町マルイでの展示と時を同じくして、TBSから新たな提案があった。TBSはヘラルボニーとの連動企画として、赤坂サカスで囲い壁のSocial Museumを行っていた。このときに、GAKUの作品が3点選ばれた。そしてこの企画の一環として、SDGsキャンペーンで視聴者へのエコバッグプレゼント企画があった。

エコバッグは2種類あったのだが、大勢のアーティストの作品からTBSが選んだ絵が、2点とも偶然GAKUの作品だった。このときの2点の作品は、作風がまったく異なっているものだったので、その両方を担当者が選んだのも不思議だ。

そのため、キャンペーンの期間中、TBSのさまざまな番組でGAKUのエコバッグが露出されていた。アイムの生徒家族も応募して入手したGAKUのエコバッグを、うれしそうに見せてくれた。

この期間、TBSは囲い壁をバックに天気予報を行っていた。このときにGAKU

の作品2点が中央にあったので、毎回GAKUの作品が天気予報に登場することになった。

「がっくんの絵を、天気予報で見たよ！」

ボクは天気予報を見ないので知らなかったが、いろいろな人から教えてもらった。

そしてこのキャンペーンとはまったく別ルートで、BS-TBSからの取材依頼が舞い込んだ。

「GAKUさんとアイムの福祉の活動に関して、取材をさせていただきたいです。情報番組の中での小さなドキュメンタリーになります。何かピックアップできそうなネタはありますか？」

「ちょうど今、TBSのキャンペーンでGAKUの絵がエコバッグに使われていますよ。だから、御社のある赤坂サカスにGAKUの絵がありますよ」

「え、そうなんですか!?」

ディレクターも驚いていたが、たまたまにしては、できすぎている話だ。

このときの取材は「最旬！トレンドサーチ」（2021年2月7日）で放送された。

ちょうど有楽町マルイでの展示もあったので、こちらも撮影してもらった。そして、サイトウマコトさんのコメントも使わせていただいた。

この取材番組は20分あったが、「あまり見ている人もいないだろうな」と思っていた。

そうしたら放送後に、茅ヶ崎在住の方から問い合わせのメールが入った。

「番組でGAKUさんの犬の絵を見て、とても気に入りました。GAKUさんの犬の作品を買わせてもらうことは可能でしょうか？」

初めてメディアでの配信がもととなって、GAKUの作品が売れたのだ。

「おおーすごい！　GAKUの絵がちゃんと動いたよ！」

結構大きなサイズの絵だったので、これを飾れるとは豪邸に違いない。GAKUが描いたワンちゃんは、今頃茅ヶ崎の豪邸で幸せに過ごしていることだろう。

中学校の先生を懐かしむGAKU

2021年4月。世田谷美術館での区民ギャラリースペースで、3回目の展示会を行うことになった。このときもコロナの影響で他からのキャンセルが続き、160平方メートルの大きな区画をそのまま使えることとなった。

今回の世田谷美術館での展示は、GAKUにとって19歳最後の展示会となった。

この展示会には、電撃ネットワークの南部虎弾（なんぶとらた）さんも駆けつけてくれた。また、安倍昭恵（あべあきえ）さんも多忙の中寄ってくださり、彼女が一目で気に入ったという馬の絵を購入してくださった。この馬は、どことなく安倍晋三（あべしんぞう）さんに面影が似ている。残念なことに、この本の執筆中に晋三さんは亡くなられてしまったが、この絵が昭恵さんの慰めになってくれればと願うばかりである。

このときには、会社を経営しておられる坂本夫妻がライオンの作品を気に入って、オフィス用に購入してくださった。GAKUの絵の購入者の幅が広がってきているのを実感した。

GAKUの会場での営業は、かなり積極的だ。会場で素敵な人（女性）を見つけると、自ら話しかけにいく。しかも営業が上手で、自分の案内ハガキを手渡すのだ。

ここでひとつ、興味深いことがある。それは、GAKUはVIPを見分ける目を持っていることだ。重要だと思った人には、ハガキではなく、名刺を渡す。だから女性でなくても、決裁権のありそうな男性が入ってくると、名刺を持っていく。このあたりは、彼の人に対する洞察力とビジネス・マインドが見られる。

そんな中、展示期間中の週末にはたくさんのお客様が来てくださった。すると、GAKUが高齢の女性二人組を目指し、突然会場の中を走っていった。興奮した様子で受付に戻ってくると、張り切って自分の名刺を持って彼女たちに渡しにいった。ボクもスタッフも誰が来たのかわからず、ポカンとしていた。

「お相手は誰かしら。なんか、がっちゃん、すごくご機嫌そうね」

GAKUはいつも数分でお客様に話しかけるのをやめるが、このときは長い時間会話を続けていた。それから10分以上経っても、GAKUはずっと彼女たちに熱心に話しかけては、自分の絵を案内していた。

そこでボクがそばに行ってみると、GAKUが興奮したまま催促してきた。

"Take picture! This one!"（写真、撮って。これで）

自分のお気に入りのゲストと、彼のお気に入りの絵の前で写真を撮ってくれということだ。彼女たちも、楽しそうな笑顔だった。そして、写真を撮るときにボクは彼女たちが誰か気づき、そこで初めて合点がいった。

「がっちゃんが中学生のときの、支援学級の先生ですよね！」

「そう、今はもう退職しちゃったけれど！　この展示を見に来た学校の人から教えてもらったの。あのがっちゃんが個展やっているよ、って聞いたから！」

ＧＡＫＵが中学校を卒業してもう5年近く経っていたので、ボクはすっかり忘れていた。それに先生たちは二人ともマスクをしていて顔半分が隠れているにもかかわらず、ＧＡＫＵがすぐに気がついたことがすごい。これだけでも驚きだったのだが、それよりも親としてもっと驚いたことがあった。

それは、ＧＡＫＵが「人を懐かしむ」という場面を、初めて目撃したからだ。ＧＡＫＵはうれしそうに20分ほどずっと先生たちと話していた。もちろん語彙の限られている簡単な会話だが、ＧＡＫＵは同じ言葉を楽しそうに何十回と繰り返していた。それに反応して先生たちは目を細めて「そうね、そうね」とうなずいていた。

それから先生たちの手を引くと"This one."とかいいながら、違う絵を見せていった。そして腕を組んで前屈みに笑いながら、言葉を投げかけていた。まるで「ボク、こんなに成長したんだよ」とでもいいたげな表情だ。

「あのときは、ガクトさんはあんなことも、こんなこともあったわね（笑）」

「そうそう、黒板をびしゃびしゃの雑巾で拭きたがったから、床がびしょ濡れになって、掃除が逆に大変になって（笑）」

二人の先生はとても懐かしそうに、ＧＡＫＵのイタズラ珍エピソードを話してくれた。

　そしてGAKUを見ながら、しみじみとした感じでこういった。

「ガクトさん、こんなにいいたいこと（絵を指して）があったのね。あのとき、もっとお話を聞いてあげればよかったわね。こんなに楽しいと感じていてくれたんだね」

　がっちゃんは、二人の先生を、ものすごく親しみを持った表情で見ていた。自閉症の子は、人との交流に関心を持たないといわれている。

　たしかにGAKUも、それらしい人との交流を見せてこなかった。GAKUはいつも人に関心がなさそうに、一声かけるとプイと走り去ってしまう。学校に通っているときもそうだった。そんなGAKUが、過去の先生に再会してこんな表情をするのを、初めて見た。

「がっちゃん、人を懐かしいと思うんだ」

　ボクは、とても驚いた。彼が中学生のときは、当然先生たちの顔を見て何かをしゃべるわけでもないし、自分一人の世界にいる感じだったたからだ。家でも、もちろん先生たちの話をしたことはないから、過去の記憶や認識がどれくらいあるのかわからなかった。

　そんなGAKUが「とても懐かしいよ！」という表情で、うれしそうにずっと先生たちとコミュニケーションをとっている。それだけではなく、お世話になった人に対しての感謝の念も持っている。その表情は、とても温かかった。

ボクはそんなGAKUの様子を見ていて、胸がジーンとして涙が出そうになった。ここにくるまで、彼自身にもたくさんの困難や葛藤や壁があったと思う。それらを乗り越えながら、ここまできたのだ。

「絵」というツールは、GAKUの世界を外の世界へとつなぐ扉を開いた。言葉でのコミュニケーションができないGAKUにとって、「絵」は彼自身と社会をつなぐ「接点」となったのだ。

CHAPTER

5

広がる GAKU WORLD！

20歳、社団法人byGAKU

自閉症である子どもの成長は、とてもわかりにくい。言葉で意思表示ができないので、何を考えているのか、何を理解しているのか知る術がないからだ。だからボクもアイムのスタッフも、GAKUの成長を実感できるようになったのは、彼が18歳になってからだ。

「お、なんか人間らしくなってきたね」

それまでは、GAKUは完全に宇宙人だった。ボクもさっちゃんも、彼とずっと同じ屋根の下で生活してきたが、それでも彼に関しては謎が多い。なんといえばよいのだろうか、『シートン動物記』に登場するオオカミのロボみたいだ。ずっと観察しているのだけれど、なかなかその生態がわからない、といった感じだ。

そんな摩訶不思議なGAKUがここ最近になって、少し人間性が出てきた。別の言葉でいうならば「社会性が出てきた」といったところだろう。言葉は相変わらずだが、表情での意思表示や意思疎通が、「人とのやりとり」らしくなってきた。

このときにもうひとつ、GAKUの内面的な感性を垣間見るような出来事があった。

ココさんが、GAKUと建物から下を走る車を眺めていたときのこと。夕方の暗がりの中を走る車のヘッドライトを見て、GAKUがいった。

「くるま、きれー」

翌日、ココさんが興奮しながら報告しにきた。GAKUが、自分が見たものに対して何らかの感想を述べたのは、このときが初めてではないだろうか。

「がっちゃんが何かを見てキレイだといったのって、初めて！　そういうことを感じることがあるんだ～！」

翌日GAKUは、暗がりの車のライトを題材に、抽象画を一枚描いた。キャンバス一面を濃い深い紫で塗り、その上に光のスジを何本か描き込んでいった。ハタチになったGAKUは、確実に成長している。

この時期から、さまざまなメディアの取材が増えてきた。それに合わせるかのように、GAKU自身もヘアカラーでカッコよくイメチェンしていた。それであれば、アトリエの見栄えもよくしておこうということで、内装を大きく変えた。壁を鮮やかな黄色に、天井をビビッドな赤紫に塗って、リノベーションした。

明らかに、GAKUのアート活動は新しいフェーズに入ろうとしていた。そこで河野さんとココさんと3人で、今後のGAKUの活動の方向性について話し合った。すると、河野さんがおもしろい提案をしてきた。

「ここは、対外的にも本気を見せるために、別法人をつくっちゃいましょうよ」

「がっちゃんの会社をつくるの!?　それは、おもしろそう!」

ココさんもノリ気だ。

「これは社会的な意味も持つので、活動のメッセージを明確に伝える上でも、株式ではなく、社団法人で登記するのがいいかと思いますよ」

「わーすごい!　社団法人byGAKU!」

ナイスアイデアだ。単なる福祉の中でのお遊びの創作活動から、より社会的に広がりのある事業活動に転換していく。これは成人になるGAKUにとっても、明確な方向づけになる。

「じゃ、いっそのことハタチの誕生日に会社をプレゼントということにしよう!」

話はすぐにまとまり、河野さんが登記の手続きを始めてくれた。

2021年5月1日。ついにGAKUはハタチの「成人」になった!　そして社団法人byGAKUも登記された。

思えば、長い道のりだった。GAKUは20年前に東戸塚で生まれて、それからロスに引っ越して、中学生で日本に戻ってきた。彼なりに自分の障害を乗り越えて、ここまでやってきた。

ボクはといえば、ヤフーにいたがGAKUに引っ張られる感じでTGCの会社に転職し、福祉の世界に入ることとなった。そして彼の成長に合わせて、ノーベルとピカソもつくってきた。

文字通り、子育てからキャリアまで、GAKUと共に歩んできた人生だ。そして今はGAKUのアート活動を広げるべく、一緒に仕事をしている。GAKUの物語は、ボク自身の物語でもある。

誕生日当日には、ココさんがケーキを用意してくれた。ロウソクの火を吹き消したGAKUは、得意げにこう宣言した。

"Gaku, twenty years old, Gaku, paint."（ガク、20歳、絵を描く）

モデル撮影にチャレンジ

年末の有楽町マルイでの展示のときに、ひとつ明確になった課題がある。それは「絵」だけではなく、GAKU自身をどう前面に押し出していくのかということである。そう考えたのには、理由がある。

展示期間中のこと、マルイの同フロアではいろいろなイベントが並行していたが、ほとんどの会場にはお客様が来ていなかった。そんな中で唯一毎日人の列があったのが、東方神起のブースだった。

根強いファンが多いアイドルなので当然といえば当然だが、このときにアーティストの「顔」も同時に売っていく必要性を強く感じた。アイドルならば、歌って、踊って、メディアでは自らトークして自分を売り出していくことができる。しかし、このいずれもGAKUには無理な話だ。

画家として売り出しているので踊る必要はないものの、市場との接点として、顔を押し出したほうがいいだろう。そんなことをココさんと話し合いながら「モデル撮影だったら、話す必要もないのでいけるのでは？」という話になった。

とはいえ、GAKU自身がカメラの前でおとなしく撮影に応じるかは、未知数だ。そこで、前々から知り合いだったStudio KUMUの遠藤アスミさんにお願いをしたところ、彼女は実験的な撮影を快く引き受けてくれた。

スタジオに着くと、アスミさんがGAKUにメイクをしていった。初のメイク体験だったので、GAKUは鏡に映る自分をめずらしそうに見入っていた。

メイクが完成すると、いよいよ撮影開始となった。GAKUが初めてモデル撮影のカメラの前に立った。

「ここでポーズをとってくれるだろうか……」

ココさんとボクも緊張した。でも、アスミさんはそんな心配をよそにGAKUに話しかけていった。

「がっくん、カメラ見れるかなー。こんな感じでポーズできるかな～」

アスミさんがポーズを作ると、GAKUもそれを真似する。ただ体の感覚が違うせいか、不器用に真似てみるものの、同じポーズにはならない。

「おもしろーい！　普通のモデルとは違った返しをしてくれるから！」

アスミさん、そしてGAKU自身も楽しみながら撮影は進んでいった。一連の撮影が終わると、アスミさんがその場で写真をプリントして見せてくれた。

「スッゴーイ!! がっちゃん、かっこいい!」

ボクもココさんも、予想以上の出来に大満足だった。本人はといえば「仕事終わったぜ」とばかりにスタジオを飛び出して、コンビニへアイスを買いに行っていた。


このときの写真がとてもかっこよかったので、3回目の世田谷美術館での個展の際、壁全面に展示することにした。GAKUがモデル活動を始めたということを発信するためにだ。

それと同時に、GAKUとファッションを結びつけていこうという狙いもあった。この計算はある程度功を奏し、次のステージへつながることとなる。

個展には、友達の石川めぐみさんが仕事仲間を連れて遊びにきてくれた。彼女は女性向けファッションブランドのMOUSSYなどを展開する、バロックジャパンリミテッドで仕事をしていた。そしてみんなでGAKUの写真パネルを見て、盛り上がってくれた。

これがきっかけで、彼女たちが担当をしている通販サイトSHEL'TTERでコラボを行うことになった。このコラボが、ファッション界との関係づくりのきっかけとなったともいえるだろう。

時を同じくして、アパレルブランドMAISON SPECIALとのコラボ案件が持ち込まれた。こちらは4点シリーズのTシャツとして発売され、どれも完売になるほどの人気だった。

このTシャツはテレビにも、たびたびタレントさんたちが着て登場していた。ココさんもボクも街中でこのTシャツを着ている人を何回も見かけているので、本当に人気があったのだろう。

ひとつ行動を起こすと次のステージへつながっていくものなのだな、と感じた一件だ。

そうだ、20歳記念の画集制作だ!

アスミさんとの撮影がうまくいったので、他のカメラマンの方々にも撮影を依頼してみたいと思っていた。しかし、知っているカメラマンがいなかったので、どうしたものかなと考えていた。

　そんなとき、世田谷美術館での展示にメイクアップ・アーティストの松橋亜紀（まつはしあき）さんがやってきてくれた。彼女とは２０１１年当時、ボクがプロデュースしていたシンガポールでのファッションショーで仕事をしたことがあった。そして今回は、数年ぶりの顔合わせとなった。

「ガクくん、モデルとしてもステキですね！　他にも撮影しないんですか？　是非ガクくんのヘアメイク、やってみたいなあ」

　展示されているモデル写真を見ながら、亜紀さんがそういった。そこで、亜紀さんに相談した。

「ＧＡＫＵのモデル写真と絵の画像を亜紀さんに渡すので、これを知り合いのカメラマンに見せてみてください。そして『この子だったら撮りたい』といってもらえるか、聞いてもらえますか」

　数日して、亜紀さんから連絡が入った。

「みなさん、『ぜひ！』といっています！　ガクくんの写真と作品を見せたら、とても魅力的だって！」

　彼女からの紹介で、４人の個性的なカメラマンが揃った。

　舞台などの撮影を得意とする宮川舞子（みやがわまいこ）さん。ファッション雑誌で活躍し、メルヘンな作風を得意とする田口まきさん。『ブスの瞳に恋してる』の表紙で有名な飯田(いいだ)かずなさん。そして、さまざまな広告からファッション撮影まで手がけている宮原夢画(みやはらむが)さん。

　夢画さんの写真はとてもスタイリッシュなので、衣装担当のココさんも気合いが入っていた。彼女はファッションデザイナーだっただけではなく、洋服のコレクターでもある。ココさんは自分のコレクションから、最高なコムデギャルソンの服を持ってきた。

「がっちゃん、体が細いし、顔も中性的だから、女性ものでもオッケー！」

　そういいながら、ＧＡＫＵにギャルソンの派手な服を着せていった。

「くやしいなー、私よりも似合うなんて！　ここまでギャルソン着こなせるハタチもいないわよ！」

　ココさんは、これまでとっておいた自分のコレクションが役に立って喜んでいた。ボクにとっては、背が低いココさんの服がなぜＧＡＫＵにピッタリとハマったのか、現在に至るまで謎である。

　ＧＡＫＵは、ファインダーの中ではガラッと違った表情をする。まるでそれぞれのカメラマンに周波数を合わせるかのように、違った顔を見せるのだ。そして夢画さんは夢画さんで、撮影のときはゾーンに入っていた。

「ガクくんは、ものすごいエネルギーを放っています！　これまで1万人以上の著名人を撮ってきましたが、ここまで強いと思ったのは、数人しかいないですよ！」

汗を拭いながら、そう話してくれた。この日もＧＡＫＵは、2時間にわたる撮影をこなしていった。

　ＧＡＫＵの作品を撮影してくれている猪原悠（いのはらゆう）さんにも声をかけたところ、猪原さんの提案で、表参道にある青山スタジオで撮影することになった。ココさんは笑いながらいった。

「これでがっちゃんも業界人ね」

　物事が波に乗っているときは、シンクロで話が重なるものだ。このタイミングで、親交のあるＶＡＬＸ代表の只石昌幸（ただいしまさゆき）さんから連絡が入った。

「がっくんの活躍、すごいですね！　実はうちの奥さんがカメラマンなので、がっくんに撮影をプレゼントさせてください！」

　そんなわけで只石布久美（ただいしふくみ）さんにも、撮影をしていただくことになった。

結局、約1か月で8件の撮影セッションをこなすこととなり、このときのGAKUは、芸能人並みの超多忙スケジュールで動いていた。ココさんも衣装選びと作品選びで慌ただしかったし、ボクも運転手並みに移動で忙しかった。

こうやっていろいろな人の協力を得て、短期間でGAKUのポートフォリオがたくさん揃った。どの写真もそれぞれのカメラマンの個性が光る素敵な作品だ。ボクはこれらの写真をA4サイズにプリントしていき、机の上に並べた。ココさんはそれらの写真を手に取りながら、こうもらした。

「どれもかっこいいわねー。がっちゃん、モデル写真集、作れるわね……」

なるほど、たしかにそうだ。で、ボクは思った。

「がっちゃん、今年ちょうど20歳じゃない。だから、ハタチ記念の画集を作ろう。前回作ったのがニューヨークのクラファンのときだったし。作品も大きく変わったから、そろそろ新しい画集が必要かも」

「絵の画集とモデルの写真集を2冊同時に出すとか？」

「いや、1冊にまとめちゃうのもアリかも。絵とモデル写真の両方がある画集って、これまでないんじゃないかな」

このときに、絵とモデル写真の両方を同じ量で扱う画集の構想が出てきた。

この発想まで辿りついたのも、有楽町マルイで展示会を行い、ＧＡＫＵの顔を売り出そうと考えたところから始まっている。それからＧＡＫＵのヘアカラーを変えて、アスミさんに撮影をお願いして、試しに世田谷美術館の個展でモデル写真を展示した。

ボクたちはこうやって、一つひとつの「点」をつないで「線」にしてきた。すると、そこからさらに新しい飛躍が生まれる。ＧＡＫＵにとってその飛躍とは、次のクラファンとなる画集プロジェクトだった。

クオリティ重視の画集を作りたい

新しい画集を作るにあたって最初に決めていたのは、「次のレベルへもっていく」ということ。つまり、ＧＡＫＵのブランド力を引き上げるような画集にしようと考えていた。

目指すのは、クライアントが手に取ったときにガツンとくる画集。そのためには、よりクオリティの高い印刷と製本が必要になる。というのも、以前にネット上のプリントサービスで印刷した画集は単体で見るとキレイに見えるが、他の画集と比べると、色が明らかに沈んでいたからだ。

ＧＡＫＵの作品のレベルが上がるにつれ、原画の魅力をより忠実に再現してくれる印刷の必要性を感じていた。今回は予算をかけてでも、印刷の質が一番よい業者にお願いしたいと思った。もし印刷にピンキリがあるのであれば、その両者の差を知っておきたいという気持ちもあった。

「日本一の印刷会社といえば、大日本印刷（以下、ＤＮＰ）じゃない！」

早速、ＤＮＰに問い合わせをした。するとすぐに返信がきて、数日後に営業担当の方が来てくださった。

「画集の自費出版とのことですが、どのサイズの本にされたいですか？」

こんなこともあろうかと、ボクは前々からいろいろな画集を買い集めていた。それらの画集の中からボクが事前に選んでいた一冊が、村上隆（むらかみたかし）さんの『SUPER FLAT』(Kaikai Kiki) だった。

この画集を選んだ理由は、１８０ページぐらいで、分量的にちょうどよいと思っていたからだ。また、この本の横幅はＡ４サイズより幅広い寸法になっていた。

通常の印刷の場合、Ａ４サイズを基本とする場合が多い。しかし、ＧＡＫＵが描くキャンバス作品の寸法は、キャンバスのＦサイズが基本だ。

Ｆサイズは、Ａ４サイズよりも縦横の比率が黄金比の四角になっている。そのため、Ａ４用紙にＦサイズを掲載しようとすると、作品が小さくなってページに大きな余白ができることになる。これだと、作品の迫力を画集で伝えることができない。

「この本のサイズがほしいと思っています」

ボクはそういうと、村上隆さんの本を営業担当に手渡した。すると、彼が驚いた顔をした。

「これ、私が担当した本なのですよ」

「え、そうなんですか⁉」

ボクもココさんも驚いた。ボクが持っている何百冊という本の中から選んだ一冊が、彼の担当した本だったのだ。さっそくシンクロが働いたので、これはかなりよい兆しだ。

「今回は、ＧＡＫＵのベストを伝える画集でないといけないんです。20歳の記念であると同時に、次のステップに進むための営業本にもなるからです。そのため、予算の話の前に、どこまでできるかについて提案をいただきたいです」

ボクは印刷のサンプルを見たいと思い、後日、ＤＮＰへ行くことにした。本社ビルに着いたときには、心から驚いた。勉強不足なボクは、ちょっとした印刷工場の建物を勝手に想像していた。でもそこにあったのは、ガラス張りの巨大なビルであった。「うっわー、こんなにでかい会社だったんだ……。よくうちの小さな画集を引き受けてくれたな……」

営業担当からいろいろなサンプルを見せていただき、本の仕様を決めていった。このときの説明で初めてわかったことは、印刷の肝は色調整をする職人技術にあるということ。そしてＧＡＫＵの画集の色校正にも、色調のプロが担当としてついてくれることになった。

後日送られてきた見積書には、驚くような数字が出ていた。画集をネット上のプリントサービスで発注したときよりも、一桁違う話だ。この数字を見て、ボクもココさんも沈黙してしまった。

「やっぱりそれなりの印刷を求めるなら、それなりの予算は必要ね……」

「でもこれくらいのコストをかけたら、どういう質の画集本になるかは知っておいたほうがいいと思うな」

とはいえ、印刷費以外のコストも合わせると相当な金額が必要だ。この頃のアイムの資金繰りは以前より安定してきてはいたが、この数字は負担が大きすぎる。しかも、画集をどこでどう売るのか、という問題もある。

「これはクラファンでやるしかないね。目標は300万円といったところだけれど、ギリギリ調達できるかも……」

「前回のニューヨークのときに220万円集まったんだし、あれからファンも増えたから、いけるんじゃないの」

ココさんはそういってくれたが、正直ボクには確信が持てなかった。というのも、ボクは数字に関しては案外慎重な性格だからだ。

ともあれ、GAKUの20歳記念の画集プロジェクトが動き出すことになる。そしてこれは、のちに奇跡的な大きな記録につながる。

クラファンで1200万円を達成！

クラファンは目標額250万円と設定し、7月半ばにスタートした。支援金に対するお礼のリターンコースは、1万円の画集コース。利益を出すのが目的ではなく、画集の印刷費を調達することをゴールに設定した。

最初の1週間は比較的ゆっくり進み、支援額は160万円くらいだった。そのため、目標額を達成できるのか、若干不安ではあった。しかし、8月に入ると目標額を達成したため、一安心した。

ところが、それからも数字は伸び続けたのでココさんと「500万円になれば伝説だよね」と興奮していた。ところが、ほどなくして数字が700万円になったときに、ボクもココさんもスマホを持つ手が震えた。

「なんか、スゴイことになっているぞ……」

後半になってからこれだけ数字が伸びたのは、途中からリターンコースに原画コースを追加したからだ。15万円からのお手軽なケント用紙の原画から、150万円の高額な原画まで出した。

とはいえ、ここまでの数字は予想していなかった。ボクは支援者のみなさんに感謝の気持ちを込めて、毎晩寝る前に心の中で手を合わせていた。

いろいろな方からクラファンで協力してもらっていたので、記念に自分も原画コースを申し込むことにした。

この中に、150万円のミントキャットという絵があった。ミントグリーンのバックの中にネコが一匹描かれているもので、飼っていたココちゃんにそっくりだ。

GAKUはこの絵をとても気に入っており、お客様が来るたびにこの絵を見せていた。だから、GAKUのために買ってあげようと思った。その絵は現在、わが家のダイニングルームに飾ってある。

期日の数日前に、支援額は1000万円となった。まったく予想していない数字だったので、さすがにこのあたりで着地するだろうと思っていた。しかし、最後の日にさらに数字が伸びた。朝、目が覚めて携帯電話で数字を見て驚いたボクは、ココさんに慌てて電話をした。

「数字見た!? 200万近くさらに追加されているよ……」

「見た、見た! まさか最後の最後でびっくり!」

最終的にクラファンは、後日決済も含めて1200万円で終了した。目標額250万円をはるかに大きく上回る数字だ。新人画家がここまで資金を調達した例は、なかなかないだろう。

クラファン終了の翌日、ボクもココさんもなんといったらいいかわからず、無言になってしまった。実施期間中は夢心地だったのだが、いざ数字が確定したら「1200万円」という数字の重みとそれに対する責任を実感したからだ。

「これだけ応援してくれた人たちの期待に応えていく必要があるね」

「この1200万円はもらったのではなく、託されたんだよね」

ボクもココさんも、身が引き締まる思いだった。

GAKUの作品をデジタルデータとして保管する

画集を作るときに一番大変なのは、画像データの準備だ。

本を作るコストの中で、印刷費はそんなに高いわけではない。では、どこに一番費用と労力がかかるかというと、コンテンツだ。小説であれば文章、画集であれば絵のデータとレイアウトのデザイン制作。このときに最も費用がかかるのが、キャンバスの絵をデジタル画像にするところだ。

この作業をボクは「アーカイブ」と呼んでいる。前述した通り、最初はスタッフである吉野さんが、アイムの施設の一部屋でこの作業をしていた（84ページ参照）。しかしその部屋は天井が低いため、大きな絵の撮影はできなかった。また、絵の撮影は実はとても難しい。

何も知らなかったボクは、「絵を置いて撮影するだけ」と気軽に考えていた。しかし実際に自分たちで撮影を始めてみると、人物を撮るより難しいのでは!?と思う点がたくさん出てきた。

まず、大きな作品を撮影すると、レンズそのものの歪みが画像に出てしまう。そして大きな面積の絵にムラなく均等に光を当てるのは、もっと大変だ。

また、窓から光が入ってくると、その日の天候や時間帯によって違った色の光が反射して混ざってしまう。常に同じ条件で、同じクオリティの写真を撮るのは不可能に近かった。

1年ほど試した結果、自前でやるには限界があると気づいた。そこで、美術作品専門の写真家を探そうという話になった。

そしてココさんが検索して見つけたのが、イトウ写真工房だ。伊藤隆(いとうたかし)さんは4代続く写真家で、しかもそのうち3代続いて美術品を専門に撮影している。

試しに撮影してもらったGAKUの作品の画像が届いたときには、ココさんもボクも驚いた。

「すごい!! まるで原画そのものみたい!」

当然のことながら、すべての画像にムラがなく、常に均一的なクオリティが保たれている。特にこれは画像を拡大したときに明白で、キャンバスの一つひとつの穴までくっきりと見える。

伊藤さんは、2億画素の特殊なカメラを使って撮影している。48bitの約281兆色で原画を捉えていて、ひとつの画像データが600MBほどになる。RGBそれぞれを別チャンネルで撮影しているため、人物のように動くものは撮影できないらしい。伊藤さんは最後に、これらの画像一枚一枚に絶妙な補正をしてくださる。

とはいえ、一流の職人にお願いするにはそれなりの金額が必要になる。GAKUの作品のアーカイブには、かなりの費用がかかることになった。

ただ、ココさんもボクも最初からこれは必要な作業であると感じていた。将来GAKUの絵がより売れて手元から原画がなくなることを考えると、データによるアーカイブはマストだ。

一見、無謀に思える先行投資だったが、これを事前にやっていたおかげでその後の案件がスムーズに進むことになる。今回画集を制作するときには、必要な画像データがすでに手元に揃っている状態だった。そのため制作作業そのものは、非常に短期間で済んだ。

また、画集が完成した直後から、企業とのコラボ案件が増えてきた。コラボ商品のためには画像データを先方に渡す必要がある。すべての作品をアーカイブしているおかげで、商談もスムーズに進む。

結果的には、デジタル・アーカイブのために使った数百万円は、無事に回収できることとなった。最初の2年間はなんのアテもなく予算を使ってきたが、振り返ると、最初から周到な準備をしておいてよかったとつくづく思う。

初めてのジークレー展示に挑戦！

2020年ニューヨークでの個展のときに、痛感したことがあった。それは、絵画の海外発送は結構大変だということだ。梱包から業者選び、税関手続きまで考えると、とにかく大変なのだ。また、海外の業者は荒っぽいとボクは感じているので、絵の破損なども気にしないといけない。

なんとかこれを避ける方法はないかと考え思いついたのが、ジークレーのみの展示会だ。ジークレーとは、原画を忠実に再現する高精度なレプリカ（複製）のことで、フランス語で「吹き付けて色をつける」という意味だ。キャンバスにプリントされているため、一見すると「これは原画だ」と思うほどだ。

もしこの手法を使うことができれば、国内でも地方を巡回するときに有効だと思う。

さらには、複数の会場で展示販売を同時開催することも可能になる。幸いＧＡＫＵの作風はジークレーと相性がよかったので、ジークレーだけでも個展を開くことができるという確信があった。

この頃は、ＧＡＫＵの作品の価格が高くなってきた時期でもあった。しかし作品の価格が高くなりすぎると、一般の人にＧＡＫＵの絵を届けることができなくなる。

そのため原画とは別に、お手頃な価格帯でのジークレーを用意し、一般の人に届けたいと考えた。だが、この話をアート関係者の人にしたところ「それは無謀だ」と反論され、驚いた。

「まだ無名のアーティストなのに、レプリカを販売したら、原画の価値が下がる」

これは一見正論にも聞こえるが、ボクは自分のマーケティング経験から「原画とレプリカには違う市場がある」と感じていた。原画に３００万円を出す人とレプリカに30万円を出す人では、それぞれ違う客層のはずである。

もうひとつ、重要な点があった。それは絵のサイズだ。ＧＡＫＵの作品はほとんどがＦ20以上のサイズだ。このサイズの絵を飾ることができる家に住んでいる人の数は、海外と比べたときに、日本ではぐっと少なくなる。でもレプリカであれば、サイズを小さくすることも可能だ。

そこでボクは試しに、一連のジークレー制作に踏み切ることにした。そんなときにタイミングよく、そしてちょうどよい話が舞い込んできた。

Space Utility TOKYO（以下、ＳＵＴ）の清水一さんから、依頼がきたのだ。清水さんは中目黒の小さな展示スペースで、画家たちの個展を主宰していた。

原画ではなくジークレーだけの展示をさせてもらえないかと聞いてみたところ、快く承諾していただいた。初のジークレー展は蓋を開けてみると、お手頃な価格もあってか、結構好評だった。そこで、続く案件にも、ジークレー展を提案していくことにした。

ちょうど時期を同じくして、ＫＮＯＴホテルから打診がきた。新宿と札幌にあるＫＮＯＴホテルでＧＡＫＵの作品を展示したいという話であった。そこで新宿では原画の展示を、札幌ではジークレー展をすることにした。

２０２０年の8月にＳＵＴとＫＮＯＴ札幌の2か所で、ジークレー展が同時開催された。札幌ではこれに続き、オープンしたばかりのコワーキングカフェｐｏｏｌでも展示が決定した。このときに、ココさんも新しい発見をしたようだった。

「すっごーい！　同時に何か所ででも開催できるって便利ね！」

ちなみにＳＵＴの代表は清水さんで、ＫＮＯＴホテルのブランドマネージャーのブルシエみゆきさんの旧姓も清水さん。またもや、ちょっとしたシンクロだ。

これらのジークレー展は小さなスペースの商業施設とも相性がよく、のちに代官山蔦屋書店、渋谷パルコ、有隣堂アトレ恵比寿店でも開催された。コロナが落ち着いたら海外でも展開できたらいいなと思っている。

このジークレー展も、もしアート関係者に事前に相談をしたら「レプリカだけで個展とは一体何を考えているんだ!?」といわれただろう。ボクとココさんがアート業界出身でなかったからこそ出てきた発想だともいえる。

GAKUのミュージアム

クラファンでの画集プロジェクトが進行しているときに、もうひとつ別の話が進行していた。それは、GAKU専用のギャラリーをつくる話である。

「作品を設置して見せることができる専用ギャラリーがあったらな〜。高い作品を買ってもらうなら、VIPの方をお呼びできるスペースを」

ボクとココさんはこんなことを悶々としながら話していたが、費用をどこから捻出するのかという問題があった。

　ちょうどそんなことを話していた頃、予想していなかった展開が起きた。ポート株式会社の代表である春日博文（かすがひろふみ）さんから突然連絡が入った。ＩＴベンチャーのまだ30代の若手社長さんだ。春日さんとは河野さんからの紹介で、４年前に一度お会いしたことがあった。

　春日さんは学生の頃に教師を目指しておられたのと、親族の方が福祉関係で働いておられたので、アイムの活動にはずっと関心を持ってくれていたようだ。春にＧＡＫＵのための法人を立ち上げたのを知って、連絡をくださったという。

　これがきっかけで、春日さんと共に株式会社AP Signatureを登記することにした。最初は、ＧＡＫＵのプロデュースとマネジメントをする。将来的には、他のアーティストも取り扱っていく計画だ。このときの春日さんからの出資で、ＧＡＫＵのギャラリーをつくる目処が立った。

　次に出てくる議題は「どこにギャラリーをつくるべきか？」だ。

「何も高い家賃払って、銀座につくる必要もないと思うわよ。逆にお客様を高津に呼んじゃえば？」

「実際に渋谷から銀座に行くより、高津に行くほうが近いか。であれば、見栄を張って銀座に出ていくこともないね。逆にGAKUで高津の町おこしをすればいいか」

ココさんと話し合って、あっさりと場所が決まった。

問題は、高津駅の近くにギャラリーに向く物件があるのかどうかであったが、ちょうどこのときはコロナの真っ只中で、その影響で駅前の物件が空いていることを偶然知った。そこで、すぐにその物件を借りることにした。

ギャラリーの内装は絵を引き立てるために、通常は壁も床も白色となっている。でもボクはGAKUの世界観を反映したものにしたかったので、フロアは全面ビビッドな赤ピンクでいくことにした。どうせ絵を購入する人は真っ白な部屋に絵を飾るわけではないので、だったらギャラリーも白でなくていい、という簡単な理屈だ。

それまでGAKUの絵は、展示会でもフレームに入れずに裸のままで展示していた。でも今回ばかりは、立派なフレームをつけてみたらどうなるのか試してみたくなった。とはいえ、フレームの専門家なんてどこで探すのだろう？　そんなとき、またしても絶妙なタイミングで、昭恵さんから連絡が入った。

昭恵さんは3回目の世田谷美術館展示で、馬の絵を買ってくださっていた。今回その絵のために額の専門家に依頼をすることにしたので、もしよかったら会ってみませんか、という話だった。彼女の事務所に行ってみると、立石ガクブチ店のイオタさんとオメガさんを紹介された。

立石家は、博多で100年近く続いている額縁店を営んでいるとのこと。なんと1000種類以上の額縁を所有しており、これだけのラインナップを揃えているのは日本国内ではここだけだという。

あまりにも良いタイミングだったので、すぐに彼らにアトリエまでお越しいただき、新しいギャラリー用にフレームを依頼することにした。このときにイオタさんから提案されたコンセプトがこれである。

「型にはまらない自由な構成と表現」

アーティスト・GAKUと出会って触れて感じたことは「自由」。気持ちの赴くままに、良い意味で我が・まま、に。それをまわりのみんなが、一つの個性として愛して応援しているのが、なんとも自由で心地よく、そして羨ましくもあって。これこそが、現代人・GAKUの求めている世界、そしてこの自由なアートを生み出すことのできる環境なのだなと感じました。

彼らがこのような印象をＧＡＫＵから受け取ってくれたのが、うれしかった。そしてこのコンセプトに沿って20枚の絵のためのフレームが選ばれた。中にはヨーロッパから輸入されたばかりの新しい制作手法のフレームもあった。多分このフレームを日本で初めて採用したのは、ＧＡＫＵだろう。

立石家のおかげでギャラリーの壁には、ゴージャスかつ遊び心のあるフレームをまとった絵が勢揃いした。中には結構奇抜で派手なフレームもあったが、それらがＧＡＫＵの発する絵のパワーを倍増させ、盛り立ててくれた。

「すごい！　フレームのエネルギーもすごいけれど、ＧＡＫＵの絵もまったく負けていない！　このフレームに耐えられる作家なんて、なかなかいないわ！」

ココさんも大満足であった。こうやって最終的にＧＡＫＵのギャラリーが12月に完成し、クラファンでお世話になった支援者の方々を、レセプションに招待した。そのときにクリスチャンディオール・ジャパン代表の竹林朋毅（たけばやしともき）さんもいらしてくださり、ＧＡＫＵの絵を購入してくださった。これがギャラリーとして売れた初の絵となった。

ギャラリーが正式オープンしたときに、ＧＡＫＵが突然大声でこういい出した。

「三枝さーん、原さーん、Gallery!　みんなLunch!　ハンバーグ屋さーん！」

いつも大事なお客様が来るときは、事務所の隣にある洋食屋さん「フジ」で食事をしている。だからGAKUは、そこで自分がお世話になった放課後デイのマネージャーたちにご馳走したいといい出したのだ。

ギャラリー案内当日、GAKUはアイムのマネージャーたち12人を得意げに案内していた。そして、みんなにランチをご馳走した。

そう、GAKUが、である。そう、中学生のときに鼻水を垂らして走り回っていたがっちゃんが、だ。今ではアーティストGAKUとして、自分の絵の売上の中からスタッフたちにご馳走をするまでになったのだ。

会食のとき、GAKUはいつもみたいに食べる前後にお店を飛び出ることもなく、ずっとおとなしく席に座って、楽しそうに談話しているスタッフたちを見守っていた。

ついに画集完成！

ギャラリーを完成させるために奔走していた横で、画集制作も着々と進んでいた。

GAKUの絵の迫力を伝えるために、可能な限り大きいサイズで進めることにした。

前述した通り、A４サイズの比率では絵の掲載サイズが小さくなってしまうため、今回はページの縦と横の比率をキャンバスのFサイズに合わせる。そして作品の迫力を最大限伝えるために、普通の画集にはないアプローチをとることにした。

通常は画集が縦長サイズの場合、横長の作品は小さくして縦長１ページの中に掲載することになる。そうなると、作品の上下に大きな空白ができてしまう。だったら「横長の作品は90度回転させて掲載すればよい」と合理的に考えることにした。ページごとに読者が画集を傾けることになるが、それはそれで、よしとする。

ちなみにボクは、こういうページ構成の画集をこれまで見たことがないので、特筆に値すると思う。

そして、今回の画集では「顔」と「絵」の両方を押していくことに決めていたので、カメラマンの方々に撮影していただいたモデル写真と絵を、交互に並べていくことにした。こういう構成の画集も、ボクは見たことがない。

何十回という色校正のやりとりを重ねて、ついに画集が完成した。ＧＡＫＵはうれしそうにニヤニヤしながら本をめくっている。ようやくこれでクラファンでの約束も無事に果たせるので、安堵した。

このあと、年内のクリスマスまでにクラファンの支援者へ画集と他のグッズを送り出す準備をした。このときに同梱したマグネットのセットを作って箱に詰めてくれたのは、ピカソの利用者たちだ。これらの作業は利用者の工賃となっているので、こんなところでもアイムの福祉との経済効果が発揮されている。

支援者のみなさんからは「支援した額よりも、たくさん返ってきた！」と大好評だった。ボクたちとしては、クラファンの目的は現金の利益ではなく、営業のための画集を制作することにあった。

最終的には1200万円の調達資金のうち、600万円を画集とグッズの制作にあてた。予算が増えたおかげで、画集の部数を大幅に増やすことができた。これで、GAKUを次のステージへ押し上げる最強の営業ツールが手に入ったわけだ。

それから300万円をギャラリーのフレームに、200万円をアトリエと倉庫の内装に、残り100万円をアトリエの備品にあてさせていただいた。

ちなみにこの中からGAKUにはご褒美として新しい緑色のiMacを、ココさんには赤色のiMacをプレゼントした。というわけで、アトリエにはかわいいiMacが2台並んでいる。

2021年も終わる目前、ボクは次の年はどう打って出るべきか考えていた。とはいえ、具体的にどのように動いたらいいか、まだよくわかっていなかった。

それでも、きちんと備えをしておけば必ず次の扉が開かれる確信はあった。だから、ボクもココさんも期待を込めて新年を迎えることにした。

代官山蔦屋書店と渋谷パルコ

2021年は「広報の1年」だった。

「はじめに」で述べたように神奈川新聞の一面記事、朝日新聞、そして「週刊女性」の特集記事というふうに取材が続いた。オンラインではAERA dot.で取材記事が配信（2022年1月3日）され、ヤフーニュースでもGAKU関連の記事がたびたびピックアップされて、大きな広がりを見せた。

このように、多くのメディアで露出ができたことで、その効果を検証することもできた。そこで次に考えたのは「小売店舗で展示販売をしたらどうなるのか？」である。

「いつか蔦屋書店みたいなところで、GAKUの販売イベントができたらいいのにね」

そんなことをココさんと話していたタイミングで、出版エージェントの中村さんから「蔦屋書店での展示販売に興味はありますか？」と電話が入った。まさにナイスタイミング！

２０２２年の2月、代官山蔦屋書店にＧＡＫＵの大きなコーナーが登場することとなった。書店内のコーナーには、レプリカであるジークレーのシリーズと、ピカソで作ったグッズがたくさん並んだ。このコーナーは10日間にわたって展示された。

アート関係者からは、無名のアーティストがレプリカを売るのは無謀だといわれていたが、結果的には「見せる」点からも、「売る」点からも正解であった。原画でなくても楽しい展示として成立したし、レプリカの価格帯は一般的な小売店との相性がよかった。

お店の方からも「店内がとても明るくなって、楽しい雰囲気になりました！」と感想をいただいた。そしてたくさんの方々から「ＧＡＫＵさんを見つけて、びっくりしました！」とメッセージをいただいた。

この展示販売が終わったあと、ココさんに質問をしてみた。

「もしどこでもっていったら、蔦屋の他にどこでやってみたい？　どこかのデパートとかがいいのかな？」

「老舗デパートっていうのは、ちょっと違うと思うの。やっぱりエッジの効いている渋谷パルコがいいと思うな」

「なるほど、どうやったらパルコで展示販売できるかね」

こんなことを話していたら、またもやナイスタイミングで前田英夫（まえだひでお）くんから連絡が入った。前田くんはＲＯＤＹ（ゴムのお馬さん）を日本ででっかく広めた人だ。実は河野さんの地元の友達でもあり、放課後デイをつくった当初から何かと親切にしてくださっていた。

「渋谷パルコ、興味ありますか？　実はパルコさんがＧＡＫＵさんにとても興味があるとのことで」

そんなわけで、こちらもトントン拍子に話が進み、4月に渋谷パルコで念願の展示販売を開催することになった。

ただし、このときに問題が浮上した。というのは、パルコから提案された場所が、それまでアパレルを扱うための仕様になっていたため、絵を設置するための壁がなかったのだ。

しかし、スペースの面積は80平方メートルくらいあったので、その広さをうまく活用したいとは思っていた。通常ならパーティションを設置して絵を設置できる壁を作るところだ。でもそれだと、会場内の視界が遮られ、空間の広さが死んでしまう。イコール、そこに展示する絵も窮屈になってしまう。

どうしたものかと、しばらく会場をじっと見つめていたが、そのとき閃いた。

実はそれまでの展示のときに、GAKUのポスターをいろいろと作っていた。まだ無名のアーティストの展示を大物の展示に見せるためには、演出が必要だと思っていたからだ。

そこで、ポスターをフレームに入れて会場の外側にたくさん並べた。そうすると、「やっている感」が出る。このときは、ポスターをスタンド式のイーゼルにのせて会場の外に設置していた。

そのことを思い出し、いっそのこと会場内にイーゼルをたくさん並べてその上に原画をおけばよい、という単純な発想にいきつく。そうすれば、パーティションを設置する必要もないし、何よりも好きに展示レイアウトを組むことができる。

ボク自身もイーゼルだけのアート展示は見たことがないが、シンプルかつ合理的で正しいように思えた。

実際に会場にこの方法で40枚の原画を並べてみたら、なかなか圧巻だった。空間の広さを演出の中に取り込みつつも、原画を間近に感じることができた。絵を見せる側と見る側の境界線がなくなった感じだ。

パルコの担当者も会場を見て、「これは新しいですね!」と感動してくれた。そして、実際にお店の中を歩いているお客様にも好評だった。

ボクとココさんにとってうれしかったのは、パルコのお客様には感度の高いクリエーター気質の人が多いことだ。そんな人たちがGAKUの絵をほめてくれるのは、喜ばしいことだ。

カルチャー発信の中心地なだけあって、いろいろな人が通りすがりに足を止めてくださった。そしてこのときに、靴ブランドのDIANAの担当者が名刺を置いていってくださったのだ。これが次のコラボ案件につながることになる。

DNPプラザとお台場での大きな垂れ幕

蔦屋書店での展示販売の最終日は、2月14日だった。そして間髪をいれずに同日にDNPが運営するDNPプラザにある「問いカフェ」でのコラボが始まった。とても大きなカフェスペースが、壮大なGAKUワールドになったのだ。この話もおもしろい経緯で成立した。

画集の件で、初めてDNPを訪ねたときのこと、市ヶ谷駅のすぐそばにある大きなイベントスペースが目に入った。面積も広くて天井も高く、奥にはキレイなカフェがあり、大きな窓から自然光も入ってきていた。

「ここでGAKUの展示をできたらいいだろうな」と思ったものの、単純に画集の自費出版をお願いしにきているだけなので、あえて提案をすることはしなかった。

それから半年経ってGAKUの画集が完成したときに、営業担当が異動となった。それが驚いたことに、ダイバーシティ&インクルージョンを推進する部署だという。

というわけで、GAKUとのコラボカフェの企画に至った。

「営業担当の異動も、がっちゃんのためだったんじゃないの!」

この話もボクとココさんは好都合に解釈した。何事も、自分に都合よく解釈できたほうが、物事は楽しいだろう。

DNPとしては、一人ひとりの「違い」を尊重し、互いに受け入れてその多様性を活かす社会をテーマに掲げていた。たしかにGAKUのアート活動は、それをわかりやすく提示しているように思える。

このときに、DNPに対してボクはこう提案した。

「せっかくなので、印刷技術をアピールできるようなものを作ってみるのはいかがですか」

すると後日DNPの方から、特殊な大きな垂れ幕を作ってみたい、という話がきた。カフェの壁の面積がとても大きかったので、そこに巨大なGAKUの絵の垂れ幕を設置すれば迫力が出る。その結果、横幅7メートル、高さ2・8メートルの特注サイズの垂れ幕が製作された。

当日、カフェの掲示板には来場者からのポジティブなコメントがたくさん寄せられていた。いろいろな人にGAKUの絵を通じて、ダイバーティとインクルージョンについて啓蒙することができたと思う。


この展示が終わったあと、この先も、この垂れ幕はうまく活用したいと思った。とはいえ、こんなに巨大な垂れ幕を設置できる場所なんてそうそうない。

この垂れ幕、なんだかもったいないなと思っていたら、フジテレビから次のオファーがきた。毎年夏休みにフジテレビがお台場で開催している「オダイバ冒険アイランド2022」で、GAKUの展示ブースを設けたいとのことだ。

それも大人気である『ワンピース』のブースの隣、そしてかなり広い面積を用意してくださった。しかもそのブースの幅には、ちょうどDNPからいただいた垂れ幕が収まることが判明した。まるでこのイベントのために、DNPが垂れ幕を事前に用意してくれたかのようだ。

イベントではこの垂れ幕のおかげで、かなりインパクトのあるブースを展開できた。そしてこの展示を見たビッグサイトの担当者から連絡が来て、翌月9月には同所で大きな展示スペースが設けられることとなった。

フジテレビとは2年前のニューヨーク個展での取材を起点として、話がここまでつながっている。そして画集プロジェクトを起点として、DNPの垂れ幕がここにうまくハマった。さまざまな点と点が複数の線となり、さらにそれらの線が交差していくのを見るのは、感慨深い。

THE BODY SHOP

2022年は、大型のコラボ案件が実現した年となった。GAKUにとって初の大型案件となったのは3月に発売となったザボディショップとのコラボだ。

ザボディショップは、「多様な美しさや一人ひとりが自分らしく生きることの大切さ」をテーマとしている。そして、GAKUの存在と彼の作品が実際にこれを体現している。そう感じてもらえたところが、このコラボにつながったのだろう。

春限定のギフトセットで、3種類の商品ラインが発売された。ザボディショップの店舗の外側全体がGAKUの絵でラッピングされ、ディスプレイ・ウィンドウと入り口にGAKUの特別パッケージがズラリと並んだ。店内には、GAKUのPR動画が常時流れており、特大サイズのGAKUの紹介パネルも設置された。

この全面的な展開には、ボクもココさんも圧倒された。GAKUもうれしそうに毎日「ボディショップ、いくー!」といっていた。

今回の案件はイギリス本社ではなく、日本側からの初の発案プロジェクトなのだという。担当の話では本国サイドに見せたところ、GAKUの作品はとても評判がよいとの話だった。実際にGAKUの特別パッケージは大人気で、売り切れが続出した。

ザボディショップジャパン代表の倉田浩美（くらたひろみ）さんとGAKU、ココさんと食事をした際、倉田さんはうれしそうにこう話してくれた。

「GAKUさんの作品をネットで見つけたときに、『これだ!』とピンときました。エッジが効いていて、作品からあふれるパワーを感じたので」

とてもありがたい言葉である。驚いたことに、倉田さん自身、重度の障害を持つお兄さんがおられるとのこと。それで彼女も、障害者の社会での自立の大切さを感じているようだった。

そんな彼女が、GAKUに対しては「障害者が描いた絵だから」というのではなく、彼の作家性を評価して指名してくれたのだ。そこがボクにはうれしかった。

GAKUに関してボクは、「障害者に下駄を履かせてはならない」と考えている。彼の実力なら、障害ではなく作品そのもので勝負するべきだと思うからだ。

ついにLeSportsacとのコラボ商品が発売!

2022年3月の半ばのこと、突然わが家に海外から大きな段ボール箱が届いた。「なんだなんだ?」と思って開けてみると、レスポートサックのサンプル商品がたくさん入っている。

ついにGAKUのコラボ商品が実現した! ニューヨークに行ったのが2020年

の3月だったので、ちょうどあれから2年経ったことになる。

一度はコロナのロックダウンで話がなくなったかのように思えたが、こうして商品が届いた！ しかも驚いたことに、こちらが思っていたよりも、ずっとたくさんの商品数だ。

数えてみると、全部で21点もの商品がある。メインの商品ラインは、フジテレビのCSRリポートの表紙で採用された「レインボー」の作品。特に今回うれしかったのは、GAKUの象徴である赤いクマのトートバッグが出たことだった。ニューヨークの個展のときに、一緒に遠征した作品だ。

GAKUも送られてきたサンプルが気に入ったらしく、"This one!"といって、ふたつのサンプルを選んで走り去ってしまった。そのうちのひとつはチーターのトートバッグで、GAKUは毎日これを首にぶら下げている。

ニューヨーク本社に問い合わせると、日本での発売は4月からとのこと。日本では、銀座と表参道のフラッグシップストアとマルイやららぽーとに入っている直営店での販売となった。

ボクとココさんはGAKUを連れて、川崎駅にあるアトレに行ってみた。というのは、同じ館内にレスポートサックとザボディショップが入っていたからだ。両者の発売時期が重なり、両方のお店でGAKUのコラボ商品が売られていた。一人のアーティストの異なるブランドとのコラボ商品が、同じ商業施設内の二か所に並ぶなんてそうない話だ！

ふたつの案件は異なる時期に始まっていたが、両者とも発売は同じ時期になるというシンクロが、ここでも起きている。

レスポートサックとのコラボはGAKUにとって、初のグローバル展開案件となった。商品はアメリカ、カナダ、中国、香港、台湾、韓国、インドネシア、マレーシア、フィリピンなどの国々で扱われることになっていた。その後、メキシコとオーストラリアでも販売されることになった。

実はこのとき、日本やアメリカで発売される前に、香港と台湾で先行して発売されたのだが、彼らのホームページでもSNSでも、一生懸命GAKUのラインナップを押してくれていた。

のちに彼らのホームページにいったところ、売り切れが続出。これは日本でも同じで、各店舗でもGAKUの動物シリーズのポーチとトートバッグはすぐに売り切れてしまう状態だった。

「かわいいーーー！　絶対にほしい！」

「残念！　売り切れていたので次回はもっと早く買いに行きます！」
ニューヨークからも、各国のディストリビューターの間でＧＡＫＵの商品はとても好評だという報告が届いていた。同時に、今度は夏に合わせてシリーズ第2弾を出す、という連絡がきた。

6月半ばに、第2弾のサンプルが送られてきた。しかも第1弾よりも商品点数が増えている。香港と台湾のホームページをチェックしたところ、早くも新しいラインナップの発売が始まっていた。しかも香港に至っては、店舗でＧＡＫＵが描いた雲をあしらった特別仕様のディスプレイをし、大々的に売り出していた。

結果的にコラボ商品は、春、夏、秋、冬と4シーズンにわたって展開された。同じアーティストのものが、これだけ連続で投入されるのもめずらしいだろう。

ＧＡＫＵの商品は、半年間で1万個以上売れる大ヒット商品となった。逆に日本では1シーズンしか発売されなかったので、次の確信を強めた。

「ＧＡＫＵのさらなる市場は海外にある！」

レスポートサックのホームページを見てみると、コラボ商品としてキース・ヘリング、バスキアと共にＧＡＫＵの名前が並んでいる。ただの商品リストとはいえ、このような著名なアーティストと肩を並べられるようになったのである。

企業やブランドからも、みんなからも愛される

ＧＡＫＵにとっての大型案件が続いた1年も過ぎ、２０２３年は静かに始まった。ひとまずは、渋谷パルコがきっかけで始まったＤＩＡＮＡのコラボ商品が春に出るのを待つだけだった。

せっかちな性格のココさんは「次はどう動くべきかしら！」といっていたが、ボクは「波が来るまで待つ！」と返した。そして次のステージに備え、本業の福祉の業務フローと組織の再構築に取りかかっていた。

2月半ばに入ると、突然物事が加速し始めた。立て続けに問い合わせがくるようになる。しかも、インスタグラムでＧＡＫＵのことを知った海外の人たちからだ。

ズームでの打ち合わせが続いたが、このときばかりは英語を話せてよかったと思っ

た。8年前にドメスティックな福祉業界に入り、もう英語を使うことはないと思っていたが、人生わからないものである。

そして3月に入り、いよいよDIANAからGAKUのスニーカーとサンダルとエコバッグが発売された。DIANAの本社におうかがいしたところ、みんながGAKUを心から歓迎してくれた。そしてショールームに行くと、GAKUのスニーカーを見せてくださった。

「GAKUさんのサインに強い個性を感じたので、これを活かしたいと思い、特別にサインを真っ赤な刺繍にすることにこだわりました!」

実際にこの刺繍の入っているスニーカーは、「かわいい!」とボクのまわりでも好評であった。DIANAの幹部と商品開発メンバーの話を聞いていると、GAKUと彼の作品に対する愛が感じられる。

こうやって、絵を通じてGAKUは社会との接点が増えた。そして、いろいろな会社や店舗を訪問して、出会う人たちの幅も広がった。

とても恵まれている自閉症当事者だと思う。いや、自閉症でなくてもこれだけいろいろな人との関わりを持てる22歳もなかなかいないだろう。

3月には、めずらしい話がやってきた。それは、かんぽ生命のCMへの出演依頼だった。こちらは大勢のキャストと共にスタジオでの撮影であったので、果たしてGAKUが2日間の撮影についていけるのか心配ではあった。ところがそんな心配をよそに、本人は「仕事」と認識してちゃんと撮影をこなした。

そしてこの本が出る頃には、香港にあるショッピングモールに大きな展示物が登場しているはずだ。秋にはグローバルなオモチャメーカーのサイトで、GAKUがアーティストとしてピックアップされているだろう。

またゴディバからは、国内でGAKUのアートをデザインした特別パッケージの商品が発売される計画だ。今年秋からの予定で、プレミアムな豪華パッケージが登場する。

しかも今回は、アーティストの名前をパッケージの前面に出すということで、パッケージデザインの中央部分にGAKUのサインが大きく配置されることになっている。このスペシャルな商品は、ゴディバとしても新しい試みの商品となるので、GAKUにとって名誉なことである。

コラボを提案されるときに、企業側から必ずいわれることがある。

「自閉症だから、SDGsだからということではなく、純粋にGAKUさんの作品にふれているとハッピーになれるからです」

たしかに、GAKUのような作品は日本にはあまりない。ビビッドでポップな色彩感覚を持っている。そして、絵に登場する動物もみんな大きなスマイルで尻尾を上に振っている。

「部屋の中にGAKUの絵が1枚あるだけで、空間全体がパッと明るくなります!」

絵を購入してくださる方々も、同じことをいってくださる。GAKUの絵から発信されるハッピーの力は、パワフルだという。

こうやってまわりの仲間や友達だけでなく、企業やブランドからも愛されているGAKUは幸せ者である。自閉症という障害、言葉の壁を乗り越えて、一人ひとりと、そして社会とつながれるようになったのだ。

さらにもう一つ、うれしいことがある。

川崎市に育ててもらったGAKUは、絵を通じて川崎市からの発信に貢献できるようにもなった。

2022年にオープンしたカワサキ文化会館にはGAKUの絵が展示されており、開館式のときには生まれて初めてのテープカット式に参加した。そして地元のバスケットボールチーム、川崎ブレイブサンダースともコラボをさせていただいている。

ボクの福祉活動も、またそこから派生したGAKUの創作活動も、川崎から始まっている。だから、こうやってGAKUが地元地域から愛されるアーティストになり、同時に恩返しできるのはうれしいことだ。

ボクは毎日本気で、高津駅一帯をGAKUで町おこしができないかと考えている。もし将来GAKUのビルが建つ日がくれば、それは銀座ではなく高津だろうと決めている。

とはいっても、今日もGAKUとココさんにはいつもの日常があるだけだ。

午前中にアトリエに来ると、まず中古DVDをシュレッダーにかける。そして絵を午前中に描き上げると、ココさんを掃除であたふたさせる。ランチにはお決まりの納豆巻きと柿の種を、階下のコンビニで買う。午後は飛び跳ねながら外を散歩したり、遠足に出かけたりしている。

高津の界隈では、顔もそこそこ知られるようになり、「ガクくん、あそこにいましたよ」と教えてくれる。GAKUの自閉症を変えることはできないが、GAKUにとって生活しやすい環境をつくることはできている。

GAKUが今後、より広い世界へ羽ばたいていくことができれば、世の中の自閉症に対する認識を変えることができる。そして彼にとってより住みやすい世界になれば、それは他の自閉症当事者にとっても暮らしやすい社会になるのだ。

ここに書いたすべては、GAKUが絵を描き始めてから5年で実現したことだ。まさにGAKUの口癖通り"Gaku, good job!"（グッジョッブ）だ。

CHAPTER

6

これからのGAKU

絵はGAKUにとって「言葉」であり、社会との「架け橋」である

小さい頃のがっちゃんは、何も話してくれなかった。一方的に同じ言葉を繰り返すばかりで、学校で何があったのかを知ることもできなかった。これは中学生に至るまでずっとそうだった。

ところが高校生になってから、突然ロスでの幼稚園のクラスメートの名前を出すようになった。どの子がバスで先生に叱られて泣いたといったり、先生の名前を連呼したりする。そして、そのときの教室の番号と扉の色をいったりする。

「え、そんなことも覚えていたの？」

ボクとさっちゃんにとっても、驚きだった。そんなに小さい頃のことを覚えていることもだが、何よりもその光景を認識して理解していることが驚きだった。彼がその日の出来事を話してくれたことはないので、いろいろなことに対して関心や興味がないと思っていたからだ。

このように、知的障害を持つ子どもにたとえ反応が見られなくても、ちゃんと情報

は吸収している。だから「どうせ何もわからないだろうから」と、勝手に線引きをしてはいけない。実際にGAKUはいろいろなものを観察して、情報を蓄積して、感性を育ててきた。そしてそれらが彼のセンスとなって、絵に反映されるようになった。

だから障害を持つ子どもの子育ては、まわりの大人があきらめないことが大切だと思う。小難しく考えたり悩んだりする必要はない。

単純に、どうやったら一緒に人生をエンジョイできるのかを考えていけばいい。だから「子育て」といって力む必要もなく、何事も自然体でいいのではないかなと思う。GAKUを担当しているココさんは、福祉の「支援者」という概念を持っていない。ココさん自身が興味のあるイベントやブランドのお店にGAKUを連れていっている。アート活動を含めて一緒に楽しい活動をしているといったほうが、正しいだろう。

最近になってGAKUのボキャブラリー（単語数）は増えてきたものの、彼が長文を使って自分の考えをスラスラと話すようになることは、この先もないだろう。今でもGAKUは、自分が感じているフラストレーションやストレスについて説明することができない。

言葉というコミュニケーション手段を持たないGAKUは、ある意味世界から隔離されていた。そして、社会的な営みの中で自分の存在を示す方法も持ち合わせていなかった。

それが16歳のときに、突然ＧＡＫＵは「絵」という手段を見つけた。自分が感じていることや共有したいことを、絵で表現できるようになった。そして、絵を通じてまわりの人からフィードバックをもらえるようになった。

さらにクラファンでは、大勢の人に自分のプロジェクトを応援してもらった。さまざまな企業といろいろなコラボ案件をすることもできるようになった。自分の絵を使って、社会活動の中でひとつの役割を演じることもできるようになったのだ。文字通り、絵はＧＡＫＵにとって社会との架け橋となっている。

ＧＡＫＵは年間２００枚の絵を描くが、もし絵がＧＡＫＵの言葉であるならば、ＧＡＫＵは相当なおしゃべりである。ＧＡＫＵが世の中に対して発信していきたい言葉は、たくさんある。

ビジネスマンＧＡＫＵ

GAKUは、かなりのビジネスマンだ。まず彼は、自分の作品が使われるコラボ案件に興味を持っている。だから、企業等から送られてくるPDFをボクが見ていると、必ずGAKUがのぞき込んでくる。

「おしえてー」

そんなときは、「これはどこどこの会社で、こんな商品を作りたいといってくれているんだよ」と説明する。すると満足した感じで「GAKUのー」という。

GAKUは、すべての物事に対してクロージングをしたがる。そして最後の着地点は、“Money!”となる。といっても本人の関心事は、そのお金で中古DVDと柿の種を買えるかどうかぐらいだが……。

だから本人には、1万円以上のお金の価値はよくわかっていない（と思われる）。けれども、ビジネスマンとして自分の絵が換金されているかの確認はしてくる。新しい作品が溜まってくると、毎回こういう。

“Gaku painting, customer buy! When!”（ガクの絵はいつ売れるのか）

GAKUは、どの絵が売れたのかも覚えている。

少し前、GAKUの初期の作品があまっていたのでグループホームに飾ることにした。それからしばらく経って、GAKUがたまたまグループホームに行ったところ、自分の絵を見つけるなり、真剣に訴えてきた。

“Gaku painting, money! Gaku no rent!”

彼は、自分の絵をグループホームに売った覚えがない。そこで、自分の絵は売り物であってレント（貸す）はしないというのだ。それを聞いて、一堂で大笑いした。

クラファンのときに、ミントキャットの絵をわが家用に購入したことは前述した。後日この絵がわが家に届き、ダイニングルームに飾られることになった。

GAKUは自分のクラファンページで、そのミントキャットに「150万円」という値段がついていることに気がついた。その時点で、彼に変なスイッチが入ってしまったようだ。

翌日彼はアトリエに着くと、かなり雑なタイガーを描いた。実は我々はミントキャットと呼んでいるが、彼の中ではそれはキャットではなくタイガーらしい。GAKUは「そのタイガーさえ描けば、150万円入るんだろ！」と大きな態度に打って出た。

非常に荒っぽいタイガーの上に「¥1,500,000」とでっかく描き込むと、“One million five hundred thousand yen!”を連呼した。この絵は150万円で売れるんだぜ、という意気込みだ。

「コラ！　そんな絵が売れると思うの!?」

ココさんもこれには呆れて、強く注意した。するとGAKUも「ちょっとやりすぎたか」という感じでその数字を消していった。でもやっぱりその150万円が気になるらしく、次の日にまたその上から金額を書き込んでいった。それから数週間、この「150万円」を絵に描くブームは続いた。

多分GAKUには、大きな桁の金額が何を意味するかわからないだろう。そして、一生そういった金額を彼が扱うこともない。だから、GAKUに大きな金額は必要ない。

では、何のためにGAKUのアートと経済活動に力を入れているのか。

それは、彼が望む活動を長期にわたって継続できるようにするためだ。そのために、GAKUのアート活動を「事業」として見ていく必要がある。だからボクが彼の代理人として、売れた絵の売上ほとんどをbyGAKUの事業に再投資している。

GAKUの事業には、結構費用がかかる。絵の保管場所の家賃や、保管用の棚を作るのにも費用がかかっている。デジタルのアーカイブ費用、さまざまなデザイン制作物の展開やPR活動にも人を動かす予算が必要だ。これらはGAKUの絵の売上から賄われている。

こう考えてみると、GAKUは障害者から納税者になるところをすっとばして、いきなり「雇用主」になっている。よくよく考えてみると、スゴイ話だ。

GAKUとお金と老後の話

「GAKUさんの絵は、障害者の経済的な自立につながっていますよね」

よく取材でこのことについて聞かれて、困ることがある。

というのも知的障害がある場合、障害者手帳を持っていれば障害年金が毎月振り込まれる。そして一生の間、生活介護というデイサービスや、グループホームといった福祉サービスのお世話になり、これらの施設利用には費用がかかるが、それらはその障害年金でちょうど賄える金額である。

時々「障害者の将来のために貯金を！」ということを聞くが、ボクは基本的には必要ないと考えている。少なくとも自力で生活できない知的障害者にとって、貯金はあまり意味をなさない。なぜなら自分の口座にお金があったところで、自らお金を管理して自分で物件を借りてひとり暮らしをするというようなことはしないからだ。

ただし親が亡くなったあとに、ある程度のお金は残してあげたいと思っている。というのも、障害年金があれば福祉施設を利用するのに困ることはないが、ちょっとしたお小遣いまでは出ないからだ。お出かけするにしても、好きなものを購入するにしても、月々数万円のお小遣いはほしいところだろう。

しかし、GAKUにたとえば一生分のお小遣い1000万円を貯金して渡したとしても、彼はそれを自分で管理することはできない。彼にキャッシュカードを持たせるわけにはいかないし、逆に第三者に使い込まれても困る。

そのため彼の将来を考えて、アイムパートナーズというサービスを始めた。

これは、終身保険を利用して、親が亡くなったら保険金を信託に入金するものだ。そして信託にまとまった金額が入金されると、親が生前に指定しておいた金額が毎月分割して本人に入金される仕組みだ。もちろんこのサービスは、全国のアイム以外の家族にも提供している。

知的障害がある子どもがいる場合、お金の心配はつきものだ。アイムは息子のニーズを満たすために、必要とするサービスを増やしてきた。結果的に、それらは他の家族にとっても役に立つことになる。

こういったことからも、GAKUの経済的な自立のために絵を売っているわけではない。実際のところ、GAKUは売れた絵の10%の金額しか受け取っていない。しかもそれらは、彼の遠足などのために使われている。同伴するスタッフの遠足費用も、これで賄っている。

もちろん、GAKUの事業が今後もうまくいくという保証はどこにもない。失敗すれば、GAKUの作品の売上もそのまま消える。本来ならば、GAKUの貯金となるものをリスクにさらしていることになる。しかしこれはもし彼が健常者アーティストであったとしても、彼自身が引き受けなければならないリスクである。

そのため、ボクは親の権限で息子の代わりにリスクのある決断を日々下している。

これとまったく同じことを、よその家庭の子どもに対してすることはできないだろう。もし失敗したら、よその子どもの貯金を溶かすことになるからだ。しかも「絵が売れたのに10%しか還元されない。搾取されている！」といわれるだろう。

だからこそ、この本に書いてあるスキームはGAKUが自分の子でないと成立させにくい。

親バカだからとか、息子にえこひいきをするためという理由だけでできるものではない。単にお金がほしいだけであれば、最初から事業化なんかせずに、時々入ってくる収入を貯金しておけばよいだけの話だ。

しかし、GAKUにたくさんの貯金が残ったところで、彼がそれを活用することはできない。それよりも、彼が充実した人生を送れるように、親が生きている間に有効活用してあげることに意味がある。

今後、彼がアート活動を通じて得られる特別な体験や人との出会いは、彼にとって本当の意味での「生きた資産」になっていくだろう。

GAKUのハッピーを追求していくことこそ戦略だ!

最後に、今後のGAKUのアート活動の方向性について書いておきたい。

GAKUのブランドの絶対的なポイントは、「ハッピー」である。いつも陽気で愛嬌があり、人にかわいがられる性格をしている。彼が描く絵もたくさんのハッピーを発信しており、そんなところにファンがついてくれている。

GAKUは自分の名前「楽音」の通り、常に「ハッピー」を体現している。だからこそ、彼のハッピーを守るためのボクの福祉事業があり、そこから派生したアート活動がある。すべてはこの方針に沿って、展開している。

だからもし、GAKUのアート活動をやめるときがあるとしたら、それはGAKUがアート活動を楽しめなくなったときである。

もっとも今のところ、GAKUは自分の作品がより多くの人の目にふれることを望んでいる。ボクのパソコン画面の横で、相変わらず彼は新しい展示企画やコラボ商品の提案書をチェックしている。そして自分の展示会場に行きたがり、そこで自分の名刺を配り歩いている。

GAKUのアート活動の今後の戦略に関して、たびたび「具体的に何をするべきか」という議論が出てくる。

正直なところ、ボクは計画を立ててもあまり意味がないと感じている。なぜならボク自身の人生ですら、計画通りに進んだことがないからだ。もし物事が計画通りに進むのであれば、多分今頃みんなマイケル・ジャクソンかイーロン・マスクになっているだろう。

それにアート業界で巨匠と呼ばれる人の経歴を調べてみたところ、結論はそれぞれケース・バイ・ケースで、確立された方法論はないということ。それよりも、然るべきキーパーソンとの出会いで拾い上げられているケースがほとんどだ。

ということは、GAKUの戦略は「人とのご縁」ということしかできない。でも然るべき人との出会いがあったときに、こちら側にそれだけの実力をつけておく必要はある。運を引き寄せるためにも、大事なことだ。

よく「実力＋運」というが、ボクが見ている限り、そうではないような気がする。どちらかというと「実力×運」だ。運は足し算ではなく、掛け算。実力の差が少しだけだとしても、運が掛け算されると結果に大きな差が出る。だからこそ、少しでも実力を積み上げておくことに意味がある。

奇跡は、向こう側から勝手に降ってくるものではない。「奇跡」には必ず奇跡に至る「軌跡」がある。だから、ボクたちがとれる最大限の戦略はこれだ。

「今、目の前に見える課題をしっかりとクリアにし、玉を磨いておく」

これはボクの野望でもあるが、GAKUが25歳になるときに、六本木ヒルズの最上階にある森美術館か、乃木坂にある国立新美術館で企画展示をしたい。そしてそこに大行列ができれば、本望だ。アート関係者に質問したことがある。

「実績云々は別にして、森美術館で展示をする最低条件はなんですか?」

「2000平方メートルを埋められるかどうかですね」

なるほど! これは案外GAKUの場合、可能な気がする。というのも、今現在も大型の作品が700点以上ある。また絵だけではなく、GAKUのモデル写真も大きく設置していきたいし、展示できるコラボ商品もたくさんある。

今すぐにでも1000平方メートルなら埋められる自信はある。コンテンツ量だけを考えれば、実現できそうな気がする。とはいえ、これを実現するためのハードルがとても高いのはわかっている。それでも、少なくとも上の上を目指していきたい。

ボクがニューヨークで高校生だったときに、ボクをかわいがってくれていた上級生のお姉さんがYear Book(卒業アルバムみたいなもの)に書いてくれた言葉を今でも覚えている。

"Aim for the moon, if you miss, it shall fall as a star."

(月を狙え、外したとしてもそれは流れ星となる)

だから、目標はより高いところに掲げておいたほうがいいだろう。もっともGAKUは、ボクよりもはるかに高い野望を持っているようだ。いつも彼はこういっている。

"Gaku, 125, Metropolitan Museum!"

そしてお金持ちになったら

"Gaku, buy Amazon!"

なんと、アマゾンを倉庫ごと買いたいそうである。そのときに彼は世界中の『ベイビー・アインシュタイン』の中古ＤＶＤをかき集めていることだろう。

おわりに

メディアを通して見る限り、ＧＡＫＵはまったく手がかからないおとなしいタイプの自閉症に見える。

「ガクくん、手がかからなくていいわね〜」といわれるが、とんでもない！

家の中では、毎週末修羅場だ。ＧＡＫＵが起きている間は、台風か竜巻が家の中を駆け抜けているよう。だから、家族にとって連休は本気でありがた迷惑だ。当然アトリエでのＧＡＫＵの扱いも大変で、ココさんは毎日文字通り目が回るような日々を過ごしている。

この本を書き終えたあともＧＡＫＵは日々成長しているし、我々のＧＡＫＵ対策も進化している。

最近、ココさんがＧＡＫＵの“Trash this!”問題に対する解決策を見つけた。ＧＡＫＵは、ゴミ箱に小さなゴミひとつでも入っていると、その場で空にしないと気が済まない。だから、ココさんもアトリエで1日に何回もゴミ箱を空にする必要があったし、ボクも自分の部屋で安心してゴミを捨てることができなかった。

ところが、ひょんなことからココさんが蓋つきのゴミ箱をアトリエに設置した途端、GAKUの"Trash this!"が止まった。GAKUは単純にゴミ箱の中のゴミが目に留まること自体がストレスだったようで、蓋で見えなくすれば気にしないで済むらしい。「なんだそんな単純なことだったのか」とみんなで胸を撫で下ろしたものの、この問題を解決するのには何年もかかってしまった。でもその次は彼の"Wipe this!"(これを拭け)攻撃にさらに磨きがかかってしまった。ひとつのブームが去れば、必ず次の激しいブームがやってくる。

何かと手のかかるGAKUだが、アイムのスタッフの協力のおかげで、次から次に出てくる課題に対応することができている。また、高津のアトリエの近所のお店の人たちの理解と好意にも、ずいぶん助けられている。

GAKUのアート活動も、ボクが運営しているアイムの福祉活動も、川崎市に育ててもらったといっても過言ではない。そんな流れもあって、いつかGAKUが超ビッグになったら、川崎市に恩返しをしたいと考えている。

でもその前に、まずは高津をGAKUタウンにしたいと思っている。高津駅周辺に

ＧＡＫＵの大きなギャラリー、カフェ、レストランを作ることができれば、ちょっとした観光名所になるだろう。多分そうなったとしても、ＧＡＫＵは相変わらず金髪の頭で飛び跳ねながら、近所を走り回っているだろうが。

そのときには「自閉症っぽい変な人を見かけた」ではなく、「本物のＧＡＫＵを見ることができてラッキー！」となるだろう。そうなれば、自閉症に対する社会の認識を変えることもできると思う。ＧＡＫＵにとって活動しやすい環境を作ることは、すべての人にとっても暮らしやすい環境を作ることにつながるはずだ。

もっともＧＡＫＵ自身はこんな難しいことは考えず、相変わらず自由気ままに日々過ごしているだけだ。

彼のハッピーを守る、ハッピーを広げる。これが親として、福祉事業運営者としてのボクの努めであるともいえる。

最後にこの場を借りて、簡潔にお礼をいわせていただきたい。

出版エージェントである、代表の鬼塚忠さんをはじめとするアップルシード・エージェンシーの方々。担当として、日頃から惜しみなく協力してくださる中村優子さん。そして、この本を実現してくださったＣＣＣメディアハウスの山本泰代さん。彼女の

おわりに

おかげで、方向性を明確にすることができ、わかりやすくまとめられた。

そして、いつもＧＡＫＵに寄り添って創作活動を見守ってくれるココさん。ＧＡＫＵを共に育てあげてくれて、毎日サポートしてくれるアイムのスタッフ。楽しいグッズをいつも作ってくれるピカソのみんな。そして、いろいろと理解を示して協力してくださる生徒家族のみなさん。

いつも、アイムとbyGAKUの活動をサポートしてくれる友達、関係者のみんな。

ここまでこられたのも、さまざまな経験や才能を持つ素晴らしい人たちのおかげでもある。一人ひとりの名前を全部挙げていくとキリがないので残念ながらここでは列挙できないが、目を閉じるとたくさんの方々の顔が浮かぶ。ＧＡＫＵはたくさんの親切な方々に囲まれていて、本当に幸せ者だと思う。


最後ながら、とっても手のかかるがっちゃんをここまで育ててくれている最愛の妻のさっちゃんに、ありがとう。いつも陰ながら目立たないところで手伝ってくれる娘のりりちゃんにも、ありがとう。何かと手のかかるがっちゃんのせいで見えない皺寄せがたくさんいっていると思うけれど、いつも頑張ってくれているのを知っています。

そして、天国から見守ってくれているココちゃん。がっちゃんはネコの絵を描くときはうれしそうに"Cat!"といっているよ！

というわけで、がっちゃんはアーティストGAKUとして、今日もみんなにハッピーを届けるべく、ブラシを手にしている。そして、絵を描き始めたときと同じ言葉を口にする。

"Gaku, paint!"

2023年5月1日（GAKUの22歳の誕生日）

佐藤典雅

GAKUの動画をHPで見ることができます!
「byGAKU」で検索

GAKU, Paint!

自閉症の息子が奇跡を起こすまで

2023年8月4日　初版発行

著者　佐藤典雅
発行者　菅沼博道
発行所　株式会社 CCCメディアハウス
〒141-8205 東京都品川区上大崎3丁目1番1号
電話　販売 049-293-9553　編集 03-5436-5735
http://books.cccmh.co.jp

ブックデザイン　吉村朋子
イラスト　GAKU
撮影（カバー表）　得能英司
（カバー裏）　井上 亮
校正　株式会社 文字工房燦光
著者エージェント　株式会社 アップルシード・エージェンシー
（https://www.appleseed.co.jp/）

印刷・製本　株式会社 新藤慶昌堂

ISBN 978-4-484-22242-4